Chapter

01

명사

일반명사

おたく 매니아	**アメリカ** 미국
お酒(さけ) 술	**カメラ** 카메라
お土産(みやげ) 선물	**コピー** 복사
かくれんぼう 숨박꼭질	**スポーツ** 운동경기
ご飯(はん) 밥	**スーツ** 양복
のり巻(ま)き 김밥	**スーパー** 슈퍼마켓
まとまり 정리, 결말	**セール** 세일
ようかん 양갱	**タバコ** 담배

タレント
탤런트

デート
데이트

ネクタイ
넥타이

ハンカチ
손수건

バイト
아르바이트

ビデオ
비디오

ビル
빌딩

マラソン
마라톤

家(うち)
집

角(かど)
귀퉁이

干(ほ)し物(もの)
말린 것, 세탁물

間違(まちが)い
틀림, 실수

看護婦(かんごふ)
간호사

勘違(かんちが)い
오해

講師(こうし)
강사

去年(きょねん)
작년

建物(たてもの)
건물

絹(きぬ)
비단

見(み)せかけ
겉보기, 외관

見覚(みおぼ)え
본 기억

見物(みもの)
볼 만한 것

見物人(けんぶつにん)
구경꾼

見積(みつ)もり
견적

結婚(けっこん)
결혼

結婚式場(けっこんしきじょう)
결혼식장, 예식장

鏡(かがみ)
거울

階段(かいだん)
계단

季節(きせつ)
계절

高校生(こうこうせい)
고교생

空気(くうき)
공기

共通(きょうつう)
공통

空港(くうこう)
공항

課長(かちょう)
과장

光栄(こうえい)
영광

掛(か)け売(う)り
외상판매

怪我(けが)
상처

橋(はし)
다리

校長(こうちょう)
교장

交通(こうつう)
교통

救(すく)い主(ぬし)
구세주

巻(ま)き戻(もど)し
되감음

勤(つと)め先(さき)
근무처

今度(こんど)
이번

禁煙(きんえん)
금연

禁煙席(きんえんせき)
금연석

今朝(けさ)
오늘아침

禁止(きんし)
금지

機械(きかい)
기계

気分屋(きぶんや)
기분파

技術(ぎじゅつ)
기술

気温(きおん)
기온

機会(きかい)
기회

卵(たまご)
달걀

冷蔵庫(れいぞうこ)
냉장고

茶色（ちゃいろ）
갈색

短所（たんしょ）
단점

踏（ふ）み切（き）り
건널목

貸（か）し出（だ）し
대출

大怪我（おおけが）
큰 상처

代理（だいり）
대리

大掃除（おおそうじ）
대청소

大人（おとな）
어른

大喧嘩（おおけんか）
큰 다툼

賭（か）け事（ごと）
노름, 내기

島（しま）
섬

道（みち）
길

憧（あこが）れ
동경

同級生（どうきゅうせい）
동급생

豆（まめ）
콩

晩（ばん）
밤

忘（わす）れ物（もの）
잊은 물건

妹（いもうと）
여동생

売(う)り場(ば)
매장

毎日(まいにち)
매일

毎朝(まいあさ)
매일 아침

勉強(べんきょう)
공부

名前(なまえ)
이름

帽子(ぼうし)
모자

木(き)
나무

目(め)
눈

猫(ねこ)いらず
쥐약

無理(むり)
무리

文化(ぶんか)
문화

米(こめ)
쌀

未来(みらい)
미래

未練(みれん)
미련

美人(びじん)
미인

罠(わな)
덫

薄着(うすぎ)
얇은 옷

薄化粧(うすげしょう)
엷은 화장

髪（かみ）
머리카락

白黒（しろくろ）
흑백

番号（ばんごう）
번호

壁（かべ）
벽

服（ふく）
옷

本気（ほんき）
진심

本命（ほんめい）
절대 확실한 것

本物（ほんもの）
진짜

本社（ほんしゃ）
본사

本場（ほんば）
본고장

封筒（ふうとう）
봉투

分配（ぶんぱい）
분배

屁理屈（へりくつ）
억지 논리

飛行機（ひこうき）
비행기

糸（いと）
실

砂（すな）
모래

使（つか）い捨（す）て
일회용

寺（てら）
절

事故（じこ）
사고

砂糖（さとう）
사탕

事務室（じむしつ）
사무실

辞書（じしょ）
사전

社員（しゃいん）
사원

仕組（しく）み
구조, 장치

写真（しゃしん）
사진

散歩（さんぽ）
산보

賞状（しょうじょう）
상장

上着（うわぎ）
상의

色（いろ）
색깔

生活（せいかつ）
생활

書（か）き物（もの）
서류, 글쓰기

夕（ゆう）やみ
땅거미

線（せん）
선

船（ふね）
배

先輩（せんぱい）
선배

雪（ゆき）
눈

説明書（せつめいしょ）
설명서

声（こえ）
목소리

世界（せかい）
세계

焼（や）き物（もの）
구운 것

紹介（しょうかい）
소개

小説（しょうせつ）
소설

小包（こづつみ）
소포

水（みず）
물

手袋（てぶくろ）
장갑

受付（うけつけ）
접수

手作（てづく）り
손으로 만듦

手紙（てがみ）
편지

水虫（みずむし）
무좀

数学（すうがく）
수학

水割（みずわ）り
물을 타서 묽게 함

乗（の）り物（もの）
탈 것

乗（の）り心地（ごこち）
승차감

乗（の）り場（ば）
타는 곳

乗(の)り降(お)り
타고 내림

時間(じかん)
시간

市内(しない)
시내

試合(しあい)
시합

試験(しけん)
시험

食(た)べ物(もの)
먹을 것, 음식

食(た)べ放題(ほうだい)
뷔페

新聞(しんぶん)
신문

顔(かお)
얼굴

案内(あんない)
안내

野菜(やさい)
야채

約束(やくそく)
약속

薬剤師(やくざいし)
약사

良妻賢母(りょうさいけんぼ)
현모양처

両替(りょうがえ)
환전

魚(さかな)
생선

旅館(りょかん)
여관

女性(じょせい)
여성

旅行（りょこう）
여행

歴史（れきし）
역사

役割（やくわり）
역할

連絡先（れんらくさき）
연락처

恋敵（こいがたき）
연적

塩（しお）
소금

英語（えいご）
영어

映画（えいが）
영화

英会話（えいかいわ）
영어회화

芸能人（げいのうじん）
연예인

予定（よてい）
예정

屋台（やたい）
포장마차

腕（うで）
팔

外（そと）
밖

料理（りょうり）
요리

冗談（じょうだん）
농담

雨（あめ）
비

隅（すみ）
모퉁이, 구석

牛乳(ぎゅうにゅう)
우유

郵便局(ゆうびんきょく)
우체국

運動(うんどう)
운동

危険(きけん)
위험

柔道(じゅうどう)
유도

遺産(いさん)
유산

留守(るす)
부재중

留学(りゅうがく)
유학

恩返(おんがえ)し
은혜갚음

音(おと)
소리

飲(の)み物(もの)
마실 것

飲(の)み屋(や)
선술집

意見(いけん)
의견

意味(いみ)
의미

裏(うら)
뒤쪽

理屈(りくつ)
도리, 이치

泥棒(どろぼう)
도둑

以外(いがい)
이외

人口（じんこう）
인구

人違（ひとちが）い
사람을 잘못 봄

日記（にっき）
일기

一番（いちばん）
으뜸, 최고, 가장, 제일

テスト
시험

日本語（にほんご）
일본어

入（い）れ墨（ずみ）
문신

入（い）れ歯（ば）
틀니

字（じ）
글자

資料（しりょう）
자료

自分（じぶん）
자신

作文（さくぶん）
작문

長年（ながねん）
오랜 세월

長生（ながい）き
장수

長所（ちょうしょ）
장점

材料（ざいりょう）
재료

財布（さいふ）
지갑

前掛（まえか）け
앞치마

専門(せんもん)
전문, 전공

前払(まえばら)い
선불

田舎(いなか)
시골

前書(まえが)き
서문

電話(でんわ)
전화

切符(きっぷ)
표

切手(きって)
우표

庭(にわ)
정원

弟(おとうと)
남동생

掃除(そうじ)
청소

朝寝(あさね)
늦잠

卒業(そつぎょう)
졸업

主人(しゅじん)
남편, 주인

駐車(ちゅうしゃ)
주차

昼寝(ひるね)
낮잠

準備(じゅんび)
준비

中国語(ちゅうごくご)
중국어

重荷(おもに)
무거운 짐

枝（えだ）
(나뭇)가지

紙（かみ）
종이

持（も）ち物（もの）
소지품

指（ゆび）
손가락

地図（ちず）
지도

指輪（ゆびわ）
반지

支社（ししゃ）
지사

地震（じしん）
지진

着物（きもの）
옷

窓（まど）
창문

窓側（まどがわ）
창문쪽

天気（てんき）
날씨

天気予報（てんきよほう）
일기예보

畳（たたみ）
다다미

締（し）め切（き）り
마감시한

草（くさ）
풀

初恋（はつこい）
첫사랑

出勤（しゅっきん）
출근

出張(しゅっちょう)
출장

出前(でまえ)
주문음식

虫(むし)
벌레

取(と)り扱(あつか)い
취급

取(と)り柄(え)
장점

趣味(しゅみ)
취미

値上(ねあ)がり
가격인상

値打(ねう)ち
가격

痴呆症(ちほうしょう)
치매증

値下(ねさ)がり
가격인하

親孝行(おやこうこう)
효도

寝癖(ねぐせ)
잠버릇

寝不足(ねぶそく)
잠 부족

寝言(ねごと)
잠꼬대

誕生日(たんじょうび)
생일

痛(いた)み止(どめ)
진통제

片道(かたみち)
편도

片想(かたおも)い
짝사랑

飽(あ)き性(しょう)
싫증 잘 내는 성질

表(おもて)
앞면, 겉

品物(しなもの)
상품, 물품

風邪(かぜ)
감기

下宿(げしゅく)
하숙

韓国語(かんこくご)
한국어

割(わ)り勘(かん)
각자 부담

割(わ)り箸(ばし)
젓가락

割引(わりびき)
할인

割合(わりあい)
비율

港(みなと)
항구

海岸(かいがん)
해안

香(かお)り
향기

玄関(げんかん)
현관

現在(げんざい)
현재

湖(みずうみ)
호수

婚約(こんやく)
약혼

花見(はなみ)
꽃구경

花瓶(かびん)
꽃병

花粉症(かふんしょう)
꽃가루병, 꽃가루 알레르기

火事(かじ)
화재

花屋(はなや)
꽃집

花札(はなふだ)
화투

黄色(きいろ)
황색, 노랑

後払(あとばら)い
후불

喧嘩(けんか)
다툼, 싸움

興味(きょうみ)
흥미

足(た)し算(ざん)
덧셈

掛(か)け算(ざん)
곱셈

割(わ)り算(ざん)
나눗셈

木(き)
나무

燃(も)えるゴミ
타는 쓰레기

仕上(しあ)げ
마무리

腰掛(こしか)け
의자, 임시일자리

残(のこ)り
나머지

사물

お土産(みやげ) 선물	テーブル 테이블
かばん 가방	ネクタイ 넥타이
はさみ 가위	ハンカチ 손수건
カメラ 카메라	ビデオ 비디오
ガス漏(も)れ 가스가 샘	ベッド 침대
スーツ 양복	ボールペン 볼펜
タバコ 담배	階段(かいだん) 계단
テレビ 텔레비전	橋(はし) 다리

机(つくえ)
책상

規則(きそく)
규칙

冷蔵庫(れいぞうこ)
냉장고

踏(ふ)み台(だい)
발판

稲作(いなさく)
벼농사

帽子(ぼうし)
모자

壁(かべ)
벽

本(ほん)
책

紛争(ふんそう)
분쟁

使(つか)い捨(す)て
일회용

辞書(じしょ)
사전

写真(しゃしん)
사진

傘(かさ)
우산

箱(はこ)
상자

上着(うわぎ)
상의

色彩(しきさい)
색채

船酔(ふなよ)い
배멀미

手袋(てぶくろ)
장갑

水薬（みずぐすり）
물약

手紙（てがみ）
편지

水着（みずぎ）
수영복

時計（とけい）
시계

新聞（しんぶん）
신문

眼鏡（めがね）
안경

哀歓（あいかん）
애환

鉛筆（えんぴつ）
연필

踊（おど）り
춤

椅子（いす）
의자

印（しるし）
표시

引（ひ）き出（だ）し
서랍

日記（にっき）
일기

雑誌（ざっし）
잡지

財布（さいふ）
지갑

知（し）り合（あ）い
아는 사이

指輪（ゆびわ）
손가락

着物（きもの）
옷

窓（まど）
창문

歯（は）ブラシ
칫솔

歯磨（はみが）き
치약

品物（しなもの）
상품, 물품

下敷（したじき）
책받침, 깔개

下着（したぎ）
하의

花瓶（かびん）
꽃병

灰皿（はいざら）
재떨이

いなご 메뚜기	せみ 매미
うなぎ 뱀장어	たか 매
おうむ 앵무새	たぬき 너구리
おおかみ 늑대	とかげ 도마뱀
か 모기	のみ 벼룩
きつつき 딱따구리	はえ 파리
こうもり 박쥐	ぶた 돼지
しか 사슴	もぐら 두더지

りす
다람쥐

ろば
당나귀

わし
독수리

カナリア
카나리아

キリン
기린

コアラ
코알라

ゴリラ
고릴라

チンパンジ
침팬지

パンダ
판다

ペット
애완동물

ライオン
사자

犬（いぬ）
개

恐龍（きょうりゅう）
공룡

亀（かめ）
거북이

鳩（はと）
비둘기

木（き）
나무

猫（ねこ）
고양이

蜂（はち）
벌

蛇（へび）
뱀

像（ぞう）
코끼리

蟋蟀（こおろぎ）
귀뚜라미

雁（かり）
기러기

魚（さかな）
생선

烏（からす）
까마귀

蛙（かえる）
개구리

熊（くま）
곰

蟻（あり）
개미

猪（いのしし）
멧돼지

蝶（ちょう）
나비

蜘蛛（くも）
거미

虫（むし）
벌레

雉（きじ）
꿩

蟹（かに）
게

火垂（ほた）る
개똥벌레

あなた
당신

お手伝(てつだ)いさん
가정부

だれ
누구

まぶだち
친한 친구

タレント
탤런트

ナンパ師(し)
헌팅꾼

ヘビースモーカー
골초

メールとも
이메일 친구

看護婦(かんごふ)
간호사

講師(こうし)
강사

見物人(けんぶつにん)
구경꾼

高校生(こうこうせい)
고교생

課長(かちょう)
과장

男(おとこ)の人(ひと)
남자

代理(だいり)
대리

大学生(だいがくせい)
대학생

同級生（どうきゅうせい） 동급생	先生（せんせい） 선생님
妹（いもうと） 여동생	薬剤師（やくざいし） 약사
名前（なまえ） 이름	女（おんな）の人（ひと） 여자
美人（びじん） 미인	女性（じょせい） 여성
変（か）わり者（もの） 괴짜	友達（ともだち） 친구
部長（ぶちょう） 부장	運転手（うんてんしゅ） 운전사
私（わたし） 나	銀行員（ぎんこういん） 은행원
社員（しゃいん） 사원	医者（いしゃ） 의사
先輩（せんぱい） 선배	泥棒（どろぼう） 도둑

日本人（にほんじん）
일본인

子供（こども）
아이

弟（おとうと）
남동생

中国人（ちゅうごくじん）
중국인

知（し）り合（あ）い
아는 사람, 지인

初心者（しょしんもの）
초심자

彼（かれ）
그, 그 남자

彼女（かのじょ）
그녀, 그 여자

学生（がくせい）
학생

韓国人（かんこくじん）
한국인

会社員（かいしゃいん）
회사원

そば
근처, 옆

公園(こうえん)
공원

スーパー
슈퍼마켓

教室(きょうしつ)
교실

ソウル
서울

禁煙席(きんえんせき)
금연석

デパート
백화점

大通(おおとお)り
큰 도로

ビル
빌딩

図書館(としょかん)
도서관

家(いえ・うち)
집

美容院(びょういん)
미용실

間(あいだ)
사이

病院(びょういん)
병원

建物(たてもの)
건물

本社(ほんしゃ)
본사

本屋（ほんや）
서점

本場（ほんば）
본고장

寺（てら）
절

事務室（じむしつ）
사무실

上（うえ）
위

世界中（せかいじゅう）
전세계

食堂（しょくどう）
식당

旅館（りょかん）
여관

駅（えき）
역

屋台（やたい）
포장마차

外（そと）
밖

右（みぎ）
오른쪽

郵便局（ゆうびんきょく）
우체국

遊園地（ゆうえんち）
유원지

隣（となり）
이웃, 옆

前（まえ）
앞

田舎（いなか）
시골

庭（にわ）
정원

左（ひだり）
왼쪽

中（なか）
가운데

池（いけ）
연못

支社（ししゃ）
지사

通（とお）り
길, 도로

片道（かたみち）
편도

下（した）
아래

下宿（げしゅく）
하숙

学校（がっこう）
학교

港（みなと）
항구

海辺（うみべ）
해변

湖（みずうみ）
호수

花屋（はなや）
꽃집

会議室（かいぎしつ）
회의실

横（よこ）
가로, 옆

後（うし）ろ
뒤

去年(きょねん)
작년

季節(きせつ)
계절

今(いま)
지금

今年(ことし)
올해

今度(こんど)
이번

今日(きょう)
오늘

今朝(けさ)
오늘 아침

冬(ふゆ)
겨울

冬休(ふゆやす)み
겨울방학

晩(ばん)
밤

毎朝(まいあさ)
매일 아침

明日(あした)
내일

四季(しき)
사계절

授業中(じゅぎょうちゅう)
수업중

時間(じかん)
시간

午前(ごぜん)
오전

午後（ごご）
오후

一晩中（ひとばんじゅう）
밤새도록

週末（しゅうまつ）
주말

昼休（ひるやす）み
점심휴식

秋（あき）
가을

春（はる）
봄

夏（なつ）
여름

何分（なんぷん）
몇 분

何時（なんじ）
몇 시

夏休（なつやす）み
여름방학

現在（げんざい）
현재

먹을 것·마실 것

うどん
우동

うなぎ
뱀장어

おでん
오뎅

おにぎり
주먹밥

お酒(さけ)
술

お好(この)み焼(や)き
구이음식의 일종, 빈대떡

かば焼(や)き
장어구이

ごま
깨

ご飯(はん)
밥

しゃぶしゃぶ
샤부샤부

そうめん
소면

そば
국수

たこ焼(や)き
문어구이

たたき
다진 양념

だし
다시다

だんご
경단

てんぷら 튀김	ケーキ 케이크
どんぶり 덮밥	コーヒー 커피
なし 배	コーラ 콜라
にんにく 마늘	サラダ油(あぶら) 식용유
みかん 귤	サンドイッチ 샌드위치
ようかん 양갱	ショウガ 생강
りんご 사과	ジュース 주스
アイスクリーム 아이스크림	タバコ 담배
カツ丼(どん) 돼지고기 덮밥	トンカツ 돈가스

ハンバーガー
햄버거

バター
버터

ビール
맥주

ラーメン
라면

餃子(ぎょうざ)
만두

巻(ま)き寿司(ずし)
초밥

卵(たまご)
달걀

納豆(なっとう)
된장

茶碗蒸(ちゃわんむ)し
계란찜

稲(いね)
벼

豆(まめ)
콩

豆腐(とうふ)
두부

味(あじ)
맛

味(あじ)の素(もと)
조미료

味醂(みりん)
맛술

味噌汁(みそしる)
된장국

砂糖(さとう)
설탕

傷(いた)んだご飯(はん)
쉰밥

生(なま)クリーム
생크림

生(なま)ビール
생맥주

鋤焼(すきやき)
전골

焼(や)き飯(めし)
볶음밥

焼(や)き魚(ざかな)
생선구이

焼(や)き肉(にく)
불고기

焼(や)き鳥(とり)
닭꼬치구이

寿司(すし)
생선회

食(た)べ物(もの)
먹을 것

食(た)べ放題(ほうだい)
뷔페

辛子(からし)
겨자

野菜(やさい)
야채

薬味(やくみ)
양념

茹(ゆ)で玉子(たまご)
삶은 달걀

塩(しお)
소금

料理(りょうり)
요리

牛乳(ぎゅうにゅう)
우유

飲(の)み物(もの)
마실 것

日本酒(にほんしゅ)
일본술

刺身(さしみ)
생선

醤油(しょうゆ)
간장

材料(ざいりょう)
재료

定食(ていしょく)
정식

天丼(てんどん)
튀김덮밥

酢(す)
식초

湯豆腐(ゆどうふ)
삶은 두부

胡麻油(ごまあぶら)
참기름

胡椒(こしょう)
후추

飛行機(ひこうき)
비행기

船(ふね)
배

タクシー
택시

色(いろ)
색

バス
버스

金色(きんいろ)
황금색

乗(の)り場(ば)
타는 곳

銀色(ぎんいろ)
은색

乗(の)り心地(ごこち)
승차감

赤色(あかいろ)
적색

乗(の)り物(もの)
탈 것

青色(あおいろ)
청색

乗(の)り降(お)り
타고 내림

黒色(くろいろ)
흑색

貸(か)し切(き)りバス
전세버스

白色(しろいろ)
백색

真(ま)っ赤(か)
새빨강

真(ま)っ青(さお)
새파랑

真(ま)っ黒(くろ)
새까망

真(ま)っ白(しろ)
새하양

ピンク
분홍

茶色(ちゃいろ)
갈색

紫色(むらさきいろ)
자주색

黄色(きいろ)
황색, 노랑

緑色(みどりいろ)
녹색

オレンジ色(いろ)
오렌지색

グレー
회색

クリーム色(いろ)
크림색

肌色(はだいろ)
살색

墨色(すみいろ)
먹빛

紅色(べにいろ)
홍색

空色(そらいろ)
하늘색

若紫(わかむらさき)
연보랏빛

가족명칭

	私(わたし)**の家族**(かぞく)	**他人**(たにん)**の家族**(かぞく)
할아버지	祖父(そふ)	お祖父(じい)さん
할머니	祖母(そぼ)	お祖母(ばぁ)さん
아버지	父(ちち)	お父(とう)さん
어머니	母(はは)	お母(かぁ)さん
부모님	両親(りょうしん)	ご両親(りょうしん)
형·오빠	兄(あに)	お兄(にい)さん
누나·언니	姉(あね)	お姉(ねぇ)さん
남동생	弟(おとうと)	弟(おとうと)さん
여동생	妹(いもうと)	妹(いもうと)さん
형제	兄弟(きょうだい)	ご兄弟(きょうだい)

	私(わたし)の家族(かぞく)	**他人(たにん)の家族(かぞく)**
아들	息子(むすこ)	息子(むすこ)さん
딸	娘(むすめ)	娘(むすめ)さん
자녀	子供(こども)	子供(こども)さん・お子(こ)さん
남편	主人(しゅじん)	ご主人(しゅじん)
아내	家内(かない)	奥(おく)さん
손주	孫(まご)	お孫(まご)さん

Chapter **02**

자주 쓰는 외래어

ドア	トラブル
문	트러블, 문제
ウエスト	キリン
허리	기린
トイレットペーパー	コアラ
화장지	코알라
サイズ	ピンク
사이즈	분홍색
ペンダント	ボタン
펜던트	버튼
チーム	プログラム
팀	프로그램
ルームメイト	バスト
룸메이트	가슴
ウール	ヒップ
울	엉덩이
アナウンサー	ビザ
아나운서	비자

フリーター
자유직업인

レッスン
레슨

コットン
면

コンビニ
편의점

ツアー
여행

ライオン
사자

ゴリラ
고릴라

パンダ
판다

チンパンジー
침팬지

メンバー
멤버

ボール
공

スーパー
슈퍼마켓

プール
풀장

レストラン
레스토랑

キッチン
부엌

ゲームーセンター
게임센터

キャンプ
캠프

パーティー
파티

デパート	イタリア
백화점	이탈리아
ヨーロッパ	アメリカ
유럽	미국
フランス	インドネシア
프랑스	인도네시아
インド	カナダ
인도	캐나다
オーストラリア	イギリス
호주	영국
ドイツ	オランダ
독일	네덜란드
マレーシア	ブラジル
말레이시아	브라질
ニュージーランド	スペイン
뉴질랜드	스페인
ロシア	メキシコ
러시아	멕시코

シンガポール	ラジオ
싱가포르	라디오
パソコン	ワープロ
개인컴퓨터	워드프로세서
テレビ	ラジカセ
텔레비전	라디오 카세트
コンセント	カセット
콘센트	카세트
ファックス	スタンド
팩스	스탠드
アイロン	プリンター
다리미	프린터
リモコン	エレベーター
리모콘	엘리베이터
キーボード	インターネット
키보드	인터넷
クーラー（エアコン）	アルバイト
에어콘	아르바이트

コピー
복사

ドラマ
드라마

キャンセル
취소

セール
세일

マナー
매너

ショッピング
쇼핑

アクシデント
사고

プリント
프린트

キャスター
캐스터

プライベート
개인적인, 사적인

ニュース
뉴스

ナイフ
칼

コップ
컵

グラス
글라스

ボールペン
볼펜

テーブル
테이블

ギター
기타

カーテン
커튼

カメラ 카메라	ベッド 침대
カッター 절단기	カーペット 카펫
ポスト 포스트	ブラシ 브러시
シャンプー 샴푸	タオル 타월
ホチキス 스테이플러	ムース 무스
マニキュア 매니큐어	スポーツ 스포츠
ステッカー 스티커	スキー 스키
シール 실	サッカー 축구
キャッシュカード 캐시카드	バスケットボール 농구

スケート
스케이트

マラソン
마라톤

ピンポン
탁구

フットボール
풋볼

エアロビクス
에어로빅

ワールドカップ
월드컵

ジョギング
조깅

バレーボール
배구

ゴルフ
골프

テニス
테니스

ヨガ（ー）
요가

スノーボード
스노보드

ラグビー
럭비

ファッション
패션

ハンカチ
손수건

サンダル
샌들

ネクタイ
넥타이

セーター
스웨터

バッグ
백, 가방

シューズ
신발

コート
코트

アクセサリー
액세서리

ピアノ
피아노

ピアス
귀걸이(귀 뚫은 것)

イヤリング
귀걸이

ブレスレット
팔찌

ストラップ
휴대폰줄

Y-シャツ
와이셔츠

T-シャツ
티셔츠

スニーカー
운동화

ワンピース
원피스

スーツ
정장

パンツ
팬츠, 바지

ハイヒール
하이힐

スカーフ
스카프

ベルト
벨트

ジーンズ
청바지

ジャケット
재킷

ストッキング
스타킹

タイツ
타이즈

ネックレス
목걸이

アンクレット
발찌

キーホルダー
열쇠고리

リボン
리본

カーディガン
가디건

ブーツ
부츠

スカート
스커트

サングラス
선글라스

ハンバーガー
햄버거

ビール
빌딩

ケーキ
케이크

メロン
메론

チョコレート
초콜릿

ミルク
우유

パスタ
파스타

ドリア
도리아

カレーライス
카레라이스

パン
빵

アイスクリーム
아이스크림

サンドイッチ
샌드위치

コーヒー
커피

ピザ
피자

ジュース
주스

パイナップル
파인애플

ラーメン
라면

スパゲッティ（ー）
스파게티

グラタン
그라탕

ビタミン
비타민

パフェ
파르페

コロッケ
고로케

ソーセージ
소시지

アップル
사과

Chapter

03

동사

あげる
올리다, 주다

ある
있다

いる
있다

おごる
한턱내다, 대접하다

からかう
놀리다

さぼる
게을리하다, 빼먹다

する
하다

つける
붙이다

なる
되다

はく
신다

ほめる
칭찬하다

もてあそぶ
가지고 놀다

もらう
받다

歌(うた)う
노래하다

覚(おぼ)える
기억하다, 외우다

感(かん)じる
느끼다

嵌(は)める
(반지 등) 끼다

減(へ)る
줄다, 감소하다

開(あ)ける
열다

改(あらた)まる
고쳐지다

改(あらた)める
고치다

見(み)る
보다

軽蔑(けいべつ)する
경멸하다

届(とど)く
닿다, 미치다

慣(な)れる
습관이 되다, 익숙해지다

教(おし)える
가르치다

噛(か)む
깨물다

帰(かえ)る
돌아가다/오다

叫(さけ)ぶ
외치다

急(いそ)ぐ
서두르다

起(お)きる
일어나다

来(く)る
가다

曇(くも)る
(날씨가) 흐리다

待(ま)つ
기다리다

読(よ)む
읽다

動(うご)く
움직이다

働(はたら)く
일하다

磨(みが)く
닦다

無(な)くなる
없어지다

亡(な)くなる
사망하다

忘(わす)れる
잊어버리다

売(う)る
팔다

買(か)う
사다

暮(くら)す
생활하다

聞(き)く
듣다

負(ま)ける
패하다

分(わ)かる
알다, 이해하다

払(はら)う
지불하다

飛(と)ぶ
날다

使(つか)う
사용하다

仕上(しあ)げる
끝내다, 완성하다

仕組(しく)む
구성하다

似合（にあ）う
닮다

生（い）きる
살다

生（う）まれる
태어나다

書（か）く
쓰다

選（えら）ぶ
고르다, 뽑다

先走（さきばし）る
앞서 나가다

洗（あら）う
씻다

消（け）す
끄다

笑（わら）う
웃다

数（かぞ）える
셈하다, 세다

述（の）べる
진술하다

襲（おそ）う
습격하다

習（なら）う
배우다

勝（か）つ
이기다

乗（の）る
타다

始（はじ）まる
시작되다

飾（かざ）る
꾸미다, 장식하다

食（た）べる
먹다

信（しん）じる
믿다

身（み）につける
몸에 걸치다

押（お）す
누르다

語（かた）る
말하다

言（い）う
말하다

余（あま）す
남기다

余（あま）る
남다

役立（やくだ）てる
유용하게 쓰다

泳（およ）ぐ
수영하다

外（はず）す
벗다, 제외하다

要（い）る
필요하다

遊（あそ）ぶ
놀다

育（そだ）つ
자라다

育（そだ）てる
키우다

飲（の）む
마시다

泣（な）く
울다

引（ひ）く
당기다, 빼다

認（みと）める
인정하다

入(い)れる
넣다

立(た)つ
서다

入(はい)る
들어가다

作(つく)る
만들다

載(の)る
실리다

儲(もうけ)る
벌다, 이익을 보다

座(すわ)る
앉다

住(す)む
살다

走(はし)る
달리다

増(ふ)える
늘다, 증가하다

知(し)る
알다

止(と)める
멎게 하다, 세우다

持(も)つ
지니다, 소유하다

止(や)む
그치다, 멎다, 서다

進(すす)める
권하다

叱(しか)る
꾸짖다, 혼내다

着(き)る
입다

着(つ)く
도착하다

喋(しゃべ)る
재잘대다, 떠들다

畳(たた)む
접다, 개다

晴(は)れる
(날씨가) 개다

締(し)める
매다, 단속하다

撮(と)る
촬영하다, 찍다

出(で)かける
나가다, 외출하다

出来(でき)る
생기다, 완성되다, 할 수 있다

取(と)り扱(あつか)う
취급하다

寝(ね)かす
재우다

寝(ね)る
자다

寝込(ねこ)む
푹 잠들다

脱(ぬ)ぐ
벗다

探(さが)す
찾다

怠(なま)ける
게으름 피우다

閉(し)める
닫다

包(つつ)む
포장하다

被(かぶ)る
(모자 등) 쓰다, 뒤집어쓰다

降(お)りる
(차 등에서) 내리다

降(ふ)る
(비, 눈 등이) 내리다

解(と)く
풀다

行(い)く
가다

呟(つぶや)く
중얼거리다

脅(おど)かす
위협하다

呼(よ)ぶ
부르다

話(はな)す
이야기하다

確(たし)かめる
확인하다

会(あ)う
만나다

休(やす)む
쉬다

吸(す)う
들이마시다

자동사 · 타동사

자동사

入(はい)る
들어가다

つく
붙다

乗(の)る
타다

開(あ)く
열리다

終(お)わる
끝나다

始(はじ)まる
시작되다

起(お)きる
일어나다

타동사

入(い)れる
넣다

つける
붙이다

乗(の)せる
태우다

開(あ)ける
열다

終(お)える
끝내다

始(はじ)める
시작하다

起(お)こす
일으키다

変(か)わる
바뀌다

落(お)ちる
떨어지다

閉(し)まる
닫히다

消(き)える
꺼지다

かかる
걸리다

沸(わ)く
끓다

止(と)まる
(차) 서다

出(で)る
나오다

見(み)つかる
발견되다

変(か)える
바꾸다

落(お)とす
떨어뜨리다

閉(し)める
닫다

消(け)す
끄다

かける
걸다

沸(わ)かす
끓이다

止(と)める
(차) 세우다

出(だ)す
내다, 내놓다

見(み)つける
발견하다

並（なら）ぶ

줄 서다

集（あつ）まる

모이다

並（なら）べる

진열하다, 배열하다

集（あつ）める

모으다

주요 수동태

言(い)う　→　言(い)われる
말하다　　　(말을) 듣다

使(つか)う　→　使(つか)われる
사용하다　　사용되다

思(おも)う　→　思(おも)われる
생각하다　　생각되다

雇(やと)う　→　雇(やと)われる
고용하다　　고용되다

書(か)く　→　書(か)かれる
쓰다　　　쓰여지다

待(ま)つ　→　待(ま)たれる
기다리다　　기다려지다

打(う)つ　→　打(う)たれる
치다　　　맞다

選(えら)ぶ　→　選(えら)ばれる
뽑다　　　뽑히다

呼(よ)ぶ → 呼(よ)ばれる
부르다 불리다

生(う)む → 生(う)まれる
낳다 태어나다

読(よ)む → 読(よ)まれる
읽다 읽혀지다

送(おく)る → 送(おく)られる
보내다 보내지다

叱(しか)る → 叱(しか)られる
꾸짖다 꾸지람을 듣다

見(み)る → 見(み)られる
보다 보여지다

食(た)べる → 食(た)べられる
먹다 먹히다

訪(たず)ねる → 訪(たず)ねられる
방문하다 방문당하다

誉(ほ)める → 誉(ほ)められる
칭찬하다 칭찬받다

する	→	される
하다		당하다
来(く)る	→	来(こ)られる
오다		옴을 당하다, 찾아오다
降(ふ)る	→	降(ふ)られる
내리다		(비나 눈을) 맞다
死(し)ぬ	→	死(し)なれる
죽다		여의다
泣(な)く	→	泣(な)かれる
울다		울어대다

Chapter

04

형용사

일반 형용사

いけない
가망 없다, 좋지 않다

うるさい
시끄럽다

おかしい
이상하다

かまわない
상관없다

かわいい
귀엽다

くだらない
시시하다

しょっぱい
짜다

たまらない
견딜 수 없다

だらしない
단정치 못하다, 칠칠맞지 못하다

つまらない
시시하다

ない
없다

ほしい
갖고 싶다

みっともない
보기 싫다, 꼴불견이다

よろしい
좋다, 괜찮다

甘(あま)い
달다

強(つよ)い
강하다

固(かた)い
견고하다, 딱딱하다

苦(くる)しい
괴롭다

高(たか)い
높다, 비싸다

苦(にが)い
쓰다

古(ふる)い
낡다

広(ひろ)い
넓다

近(ちか)い
가깝다

楽(たの)しい
즐겁다

暖(あたた)かい
따뜻하다

難(にく)い
어렵다, 힘들다

難(むずか)しい
어렵다

冷(つめ)たい
차갑다

多(おお)い
많다

短(みじか)い
짧다

大(おお)きい
크다

大人(おとな)しい
얌전하다, 어른스럽다

図々(ずうずう)しい
뻔뻔스럽다

忙(いそが)しい
바쁘다

美（うつく）しい
아름답다

薄（うす）い
얇다

白（しろ）い
희다

煩（うるさ）い
번거롭다, 귀찮다

悲（かな）しい
슬프다

酸（す）っぱい
시다

渋（しぶ）い
떫다

惜（お）しい
아깝다

羨（うらや）ましい
부럽다

細（こま）かい
잘다, 상세하다

少（すく）ない
적다

素晴（すば）らしい
훌륭하다

新（あたら）しい
새롭다

安（やす）い
싸다

弱（よわ）い
약하다

若（わか）い
젊다

涼（すず）しい
시원하다

汚（きたな）い
더럽다

優(やさ)しい
착하다, 상냥하다

危(あぶ)ない
위험하다

偉(えら)い
멋지다

長(なが)い
길다

低(ひく)い
낮다, 키가 작다

赤(あか)い
빨갛다

寂(さび)しい
외롭다

正(ただ)しい
바르다, 옳다

情(なさ)けない
한심하다

重(おも)たい
묵직하다

憎(にく)い
얄밉다

旨(うま)い
맛있다

珍(めずら)しい
희귀하다

青(あお)い
파랗다

恥(は)ずかしい
부끄럽다

太(ふと)い
굵다

痛(いた)い
아프다

怖(こわ)い
무섭다

下（くだ）らない
하찮다, 볼품없다

寒（さむ）い
춥다

賢（かしこ）い
현명하다

黒（くろ）い
검다

嬉（うれ）しい
기쁘다

상반 형용사

暑(あつ)い	↔	寒(さむ)い
덥다		춥다
熱(あつ)い	↔	冷(つめ)たい
뜨겁다		차갑다
厚(あつ)い	↔	薄(うす)い
두껍다		얇다
おいしい	↔	まずい
맛있다		맛없다
新(あたら)しい	↔	古(ふる)い
새롭다		낡다
大(おお)きい	↔	小(ちい)さい
크다		작다
難(むずか)しい	↔	易(やさ)しい
어렵다		쉽다
いい	↔	悪(わる)い
좋다		나쁘다

高(たか)い	↔	安(やす)い
비싸다		싸다

高(たか)い	↔	低(ひく)い
높다		낮다

長(なが)い	↔	短(みじか)い
길다		짧다

早(はや)い	↔	遅(おそ)い
이르다		느리다

速(はや)い	↔	遅(おそ)い
빠르다		늦다

明(あか)るい	↔	暗(くら)い
밝다		어둡다

近(ちか)い	↔	遠(とお)い
가깝다		멀다

面白(おもしろ)い	↔	つまらない
재미있다		시시하다

強(つよ)い	↔	弱(よわ)い
강하다		약하다

深(ふか)い　　↔　　浅(あさ)い
깊다　　　　　　　　얕다

重(おも)い　　↔　　軽(かる)い
무겁다　　　　　　　가볍다

柔(やわ)らかい　↔　固(かた)い
부드럽다　　　　　　단단하다

赤(あか)い　　↔　　青(あお)い
빨갛다　　　　　　　파랗다

白(しろ)い　　↔　　黒(くろ)い
희다　　　　　　　　검다

多(おお)い　　↔　　少(すく)ない
많다　　　　　　　　적다

형용동사(な형용사)

あたりまえだ
당연하다

きれいだ
깨끗하다, 예쁘다

けちだ
인색하다

にぎやかだ
번화하다

のんきだ
태평하다

ハンサムだ
잘 생기다

暇(ひま)だ
한가하다

簡単(かんたん)だ
간단하다

苦手(にがて)だ
서투르다, 질색이다

楽(らく)だ
편하다

朗(ほが)らかだ
명랑하다

大事(だいじ)だ
중요하다, 소중하다

大切(たいせつ)だ
중요하다

得意(とくい)だ
자신 있다, 특기다

明(あき)らかだ
밝다, 분명하다

夢中(むちゅう)だ
열중하다

無駄（むだ）だ
쓸데없다

迷惑（めいわく）だ
폐가 되다, 귀찮다

不便（ふべん）だ
불편하다

上手（じょうず）だ
능숙하다

盛（さか）んだ
번창하다

素的（すてき）だ
멋지다

素直（すなお）だ
순박하다

勝手（かって）だ
제멋대로다

新鮮（しんせん）だ
신선하다

心配（しんぱい）だ
걱정이다

穏（おだ）やかだ
온화하다

完全（かんぜん）だ
안전하다

元気（げんき）だ
건강하다

有名（ゆうめい）だ
유명하다

立派（りっぱ）だ
훌륭하다

自然（しぜん）だ
자연스럽다

自由（じゆう）だ
자유다

残念（ざんねん）だ
유감이다

丈夫（じょうぶ）だ
건강하다

静（しず）かだ
조용하다

正直（しょうじき）だ
정직하다

正確（せいかく）だ
정확하다

地味（じみ）だ
수수하다

真剣（しんけん）だ
진정이다

真面目（まじめ）だ
성실하다

贅沢（ぜいたく）だ
사치하다

親切（しんせつ）だ
친절하다

快適（かいてき）だ
쾌적하다

駄目（だめ）だ
소용없다

退屈（たいくつ）だ
지루하다

派手（はで）だ
화려하다

便利（べんり）だ
편리하다

平気（へいき）だ
태연하다

豊（ゆた）かだ
풍족하다

下手（へた）だ
서툴다

嫌（いや）だ
싫다

嫌(きら)いだ

싫어하다

好(す)きだ

좋아하다

嫌(きら)いだ
싫어하다

好(す)きだ
좋아하다

Chapter **05**

기 타

あまり
별로, 그다지, 너무

いまさら
이제 와서, 새삼스럽게

いまに
아직도, 이제

いよいよ
드디어, 마침내

うろうろ
어슬렁어슬렁

おそらく
아마, 필시

かなり
꽤, 제법

きらきら
반짝반짝

ぐずぐず
우물쭈물

こつこつ
꾸준히

ごく
극히

さすが
과연

さらに
한층 더

ざあざあ
좍좍

しっかり
확실히, 똑똑히

すらすら
줄줄, 술술

ずいぶん 아주, 대단히	**ただ** 단지, 오직
ずっと 쭉, 줄곧	**たとえ** 비록, 가령
せいぜい 기껏, 겨우	**たぶん** 대개, 거의
せっかく 모처럼, 일부러	**だいたい** 대개, 대충
せっせと 열심히	**だんだん** 차츰, 점점
せめて 최소한, 하다못해	**ちゃんと** 꼼꼼히, 착실하게
そのうち 머지않아	**ちょうど** 마침, 딱
そろそろ 슬슬	**ちらちら** 나풀나풀
たいてい 대개, 대부분	**ついに** 마침내, 끝내

つまり 결국, 요컨대	**ぽつりぽつり** 뚝뚝, 띄엄띄엄, 톡톡
とうとう 결국, 끝내	**ますます** 더욱더, 점점 더
どんどん 척척, 착착	**まもなく** 머지않아, 이윽고
なかなか 꽤, 상당히	**まるで** 마치, 흡사
なるべく 되도록, 가능한 한	**むしろ** 오히려, 차라리
のんびり 한가로이, 유유히	**めったに** 좀처럼
ばらばら 후드득후드득, 제각기	**もしかして** 혹시, 어쩌면
ぴかぴか 번쩍번쩍	**もちろん** 물론
ぼろぼろ 너덜너덜	**もっと** 더욱

もっぱら 오로지	突然(とつぜん) 돌연, 갑자기
やがて 이윽고, 곧	非常(ひじょう)に 심하게, 상당히, 매우
やっと 겨우	相変(あいか)わらず 변함없이
やはり 역시	時々(ときどき) 때때로
よく 자주, 잘	是非(ぜひ) 꼭, 반드시
わずか 조금, 약간	実(じっ)は 실은
決(けっ)して 결코	例(たと)えば 예를 들면
結構(けっこう) 충분히, 꽤, 제법	一体(いったい) 도대체
急(きゅう)に 급히	一層(いっそう) 한층, 한층 더

全（すべ）て
모두, 대체로

全（まった）く
완전히, 전혀

全然（ぜんぜん）
전연

絶対（ぜったい）
절대

最（もっと）も
가장

殆（ほと）んど
거의

特（とく）に
특히

必（かなら）ず
반드시, 꼭

何（なに）より
무엇보다

確（たし）か
확실히

けれども
그렇지만

しかし
그러나

したがって
따라서

すると
그러면, 그러자

そうすると
그렇게 하니

そこで
그래서

そして
그리고

それから
그리고, 그리고 나서

それで
그래서

それでは
그러면

それとも
그렇지 않으면

それなのに
그런데도

それに
게다가

それにもかかわらず
그럼에도 불구하고

だから
그러니까

だが
그렇지만

では
그러면

でも
그래도

ところが
그런데

ところで
그런데

なぜなら
왜냐하면

しにくい
하기 어렵다, 불편하다

しやすい
하기 쉽다, 편하다

のり巻(ま)き
김밥

やりきれる
해낼 수 있다

やり直(なお)す
다시 하다

覚(おぼ)えきれる
다 외울 수 있다

覚(おぼ)えにくい
기억하기 어렵다

干(ほ)し物(もの)
말린 것

減(へ)り続(つづ)ける
계속 줄다

見物(みもの)
볼 만한 것

見込(みこ)み
예상, 전망

見込(みこ)む
전망하다

見直(みなお)す
다시 보다

考(かんが)え直(なお)す
다시 생각하다

高(たか)すぎる
너무 비싸다

缶切(かんき)り
깡통따개

掛(か)け売(う)り
외상판매

難(むずか)しすぎる
너무 어렵다

多(おお)すぎる
너무 많다

待(ま)ち合(あ)わせる
만날 약속을 하다

読(よ)みきれる
다 읽을 수 있다

読(よ)みにくい
읽기 어렵다

読(よ)みやすい
읽기 쉽다

読(よ)み始(はじ)める
읽기 시작하다

突(つ)っ込(こ)む
돌진하다

働(はたら)きすぎる
과로하다

忘(わす)れっぽい
잘 잊어버리다

忘(わす)れ物(もの)
잊은 물건

売(う)り場(ば)
매장

売(う)り切(き)れる
다 팔리다

猫(ねこ)いらず
쥐약

問(と)い合(あ)わせる
문의하다

歩(ある)きにくい
걷기 불편하다

歩(ある)きやすい
걷기 편하다

歩(ある)き続(つづ)ける
계속 걷다

歩(ある)き始(はじ)める
걷기 시작하다

歩(ある)き回(まわ)る
돌아다니다

付(つ)き合(あ)う
사귀다

分(わ)かりにくい
알기 어렵다

分(わ)かりやすい
알기 쉽다

思(おも)い出(だ)す
생각해내다

使(つか)いにくい
사용하기 어렵다

使(つか)いやすい
사용하기 쉽다

生(なま)クリーム
생크림

生(なま)ビール
생맥주

暑(あつ)すぎる
너무 덥다

書(か)きやすい
쓰기 편하다

書(か)き物(もの)
문서, 서류

書(か)き上(あ)げる
다 쓰다

書(か)き直(なお)す
다시 쓰다

焼(や)き物(もの)
구이, 도자기

受(う)け入(い)れる
받아들이다

数(かぞ)えきれる
다 셀 수 있다

水(みず)っぽい
싱겁다

水薬(みずぐすり)
물약

手作(てづく)り
손으로 만듦

水着(みずぎ)
수영복

水虫(みずむし)
무좀

水割(みずわ)り
물을 타서 묽게 함

乗(の)り物(もの)
탈 것

乗(の)り心地(ごこち)
승차감

乗(の)り越(こ)える
뛰어넘다, 앞지르다

乗(の)り場(ば)
타는 곳

乗(の)り降(お)り
타고 내림

乗(の)り換(か)える
갈아타다

食(た)べきれる
다 먹을 수 있다

食(た)べすぎる
과식하다

食(た)べにくい
먹기 어렵다

食(た)べやすい
먹기 쉽다

食(た)べ物(もの)
먹을 것, 음식

安(やす)すぎる
너무 싸다

譲(ゆず)り合(あ)う
서로 양보하다

両替(りょうがえ)
환전

言(い)いすぎる
지나치게 말하다

言(い)いにくい
말하기 어렵다

言(い)い換(か)える
바꿔 말하다

役割(やくわり)
역할

腰掛(こしか)ける
걸터앉다

遠(とお)すぎる
너무 멀다

飲(の)みきれる
다 마실 수 있다

飲(の)みすぎる
과음하다

飲(の)みやすい
마시기 쉽다

飲(の)み物(もの)
마실 것

飲(の)み屋(や)
선술집

飲(の)み込(こ)む
삼키다

裏切(うらぎ)る
배신하다

引(ひ)き出(だ)す
꺼내다

引(ひ)き合(あ)わせる
대조하다, 조회하다

入(い)れ墨(ずみ)
문신

入(い)れ替(か)える
교체하다, 갈아넣다

入(い)れ歯(ば)
틀니

子供(こども)っぽい
유치하다

作(つく)りやすい
만들기 쉽다

長年(ながねん)
오랜 세월

長生(ながい)き
장수

積(つ)み立(た)てる
적립하다

前掛(まえか)け
앞치마

前書(まえが)き
머리말

前以(まえもっ)て
미리, 사전에

静(しず)かすぎる
너무 조용하다

助(たす)け合(あ)う
서로 돕다

爪切(つめき)り
손톱깎이

朝寝(あさね)
아침잠, 늦잠

昼寝(ひるね)
낮잠

増(ふ)え続(つづ)ける
계속 늘다

知(し)り合(あ)う
서로 알다

持(も)ち物(もの)
소지품

持(も)ち上(あ)げる
들어올리다

持(も)ち込(こ)む
갖고 들어오다

振(ふ)り込(こ)む
흔들어 넣다, 불입하다

真(ま)っすぐ
똑바로, 곧장

差(さ)し込(こ)む
찔러 넣다

着物(きもの)
옷

着替(きが)える
갈아입다

締(し)め切(き)り
마감

初恋(はつこい)
첫사랑

出前(でまえ)
주문 음식

取(と)り戻(もど)す
되찾다, 회복하다

取(と)り柄(え)
장점

取(と)り消(け)す
취소하다

取(と)り組(く)む
맞붙다

値打(ねう)ち
가격, 가치

寝癖(ねぐ)せ
잠버릇

寝不足(ねぶそく)
수면부족

打(う)ち合(あ)わせる
상의하다

探(さが)しやすい
찾기 쉽다

下敷(したじき)
깔개, 책받침

下着(したぎ)
하의

割(わ)り勘(かん)
각자 부담

割引(わりびき)
할인

割箸(わりばし)
젓가락

割合(わりあい)
비율

降(ふ)り続(つづ)ける
계속 내리다

話(はな)し言葉(ことば)
구어

話(はな)し合(あ)う
얘기를 나누다

吸(す)い込(こ)む
들이마시다

映画(えいが)を見(み)る
영화를 보다

新聞(しんぶん)・漫画(まんが)を読(よ)む
신문·만화를 읽다

コーヒー・お酒(さけ)を飲(の)む
커피·술을 마시다

タバコを吸(す)う
담배를 피우다

ご飯(はん)・朝(あさ)ご飯(はん)・昼(ひる)ご飯(はん)
・晩(ばん)ご飯(はん)を食(た)べる
밥·아침·점심·저녁을 먹다

仕事(しごと)をする・べんきょうする
일을 하다·공부하다

友達(ともだち)と話はなす
친구와 이야기하다

友達(ともだち)に会う
친구를 만나다

家(うち)・学校(がっこう)へ行(い)く
집・학교에 가다

音楽(おんがく)を聞(き)く
음악을 듣다

お風呂(ふろ)に入(はい)る
목욕을 하다

シャワーを浴(あ)びる
샤워를 하다

買物(かいもの)をする
쇼핑을 하다

電話(でんわ)をかける
전화를 걸다

写真(しゃしん)を撮(と)る
사진을 찍다

〜にすむ
〜에 살다

ソウルにすんでいます
서울에 살고 있습니다

食事(しょくじ)をする
식사를 하다

クーラーをつける
에어컨을 켜다

クーラーを消(け)す
에어컨을 끄다

薬(くすり)を飲(の)む
약을 먹다

歌(うた)を歌(うた)う
노래를 부르다

バス・タクシーに乗(の)る
버스·택시를 타다

眼鏡(めがね)をかける
안경을 쓰다

体(からだ)の具合(ぐぁ)い・調子(ちょうし)が悪(わる)い
몸상태가 좋지 않다

帽子（ぼうし）を被（かぶ）る
모자를 쓰다

スカートを履（は）く
스커트를 입다

電気（でんき）をつける
불을 켜다

電気（でんき）を消（け）す
불을 끄다

顔（かお）を洗（あら）う
세수를 하다

ゆっくり休（やす）む
푹 쉬다

ゆっくりする
푹 쉬다

手紙（てがみ）を書（か）く
편지를 쓰다

料理（りょうり）・掃除（そうじ）をする
요리 · 청소를 하다

学校(がっこう)で日本語(にほんご)を習(なら)う

학교에서 일본어를 배우다

予習(よしゅう)・復習(ふくしゅう)をする

예습·복습을 하다

運動(うんどう)・スキー・テニスをする

운동·스키·테니스를 하다

雨(あめ)・雪(ゆき)が降(ふ)る

비·눈이 오다

日記(にっき)をつける

일기를 쓰다

試験(しけん)を受(う)ける

시험을 치다

風邪(かぜ)を引(ひ)く

감기에 걸리다

夢(ゆめ)を見(み)る

꿈을 꾸다

味(あじ)がする

맛이 나다

看板（かんばん）をかける
간판을 걸다

鍵（かぎ）をかける
열쇠를 잠그다

鍵（かぎ）であける
열쇠로 열다

迷惑（めいわく）をかける
폐를 끼치다

塩（しお）をかける
소금을 치다

テレビをつける
텔레비전을 켜다

気（き）をつける
조심하다, 주의하다

雑草（ざっそう）を取（と）る
잡초를 뽑다

指輪（ゆびわ）をはめる
반지를 끼다

手錠(てじょう)をはめる
수갑을 차다

看板(かんばん)をはずす
간판을 내리다

めがねをはずす
안경을 벗다

ボタンをはずす
단추를 풀다

メンバーからはずす
멤버에서 빠지다

席(せき)をはずす
자리를 비우다

謎(なぞ)を解(と)く
수수께끼를 풀다

誤解(ごかい)を解(と)く
오해를 풀다

見込(みこ)みがある
가망이 있다

見込(みこ)みが立(た)たない
전망이 서지 않다

ぶつぶつつぶやく
중얼거리다, 투덜대다

感(かん)じがする
느낌이 들다

てんぷらを揚(あ)げる
튀김을 튀기다

旗(はた)を揚(あ)げる
국기를 게양하다

皮(かわ)を剥(む)く
껍질을 벗기다

卵(たまご)をゆでる
달걀을 삶다

じゃがいもを煮(に)る
감자를 졸이다

お湯(ゆ)を沸(わ)かす
물을 끓이다

スープを暖(あたた)める
수프를 데우다

匂(にお)いがする
냄새가 나다

ごみを燃(も)やす
쓰레기를 태우다

煙(けむり)が立(た)つ
연기가 나다

腹(はら)が立(た)つ
화가 나다

横(よこ)になる
눕다

髪(かみ)を染(そ)める
머리를 염색하다

雨(あめ)が染(し)みる
비가 스며들다

口(くち)に合(あ)う
입에 맞다

口（くち）に合（あ）わない
입에 맞지 않다

楽（たの）しみにする
기대하다

気（き）が合（あ）う
마음이 맞다

ピアノを弾（ひ）く
피아노를 치다

どきどきする
두근두근거리다

心（こころ）を配（くば）る
배려하다

風邪（かぜ）を移（うつ）す
감기를 옮기다

切手（きって）を貼（は）る
우표를 붙이다

鐘（かね）を突（つ）く
종을 치다

マフラーを巻(ま)く
목도리를 두르다

カレンダーをまくる
달력을 넘기다

ボタンが取(と)れる
단추가 떨어지다

痛(いた)みが取(と)れる
고통이 사라지다

ピントが外(はず)れる
핀트가 빗나가다

判子(はんこ)を押(お)す
도장을 찍다

手(て)をつなぐ
손을 맞잡다

おにぎりを握(にぎ)る
주먹밥을 만들다

乾(かわ)いた心(こころ)
애타는 마음

喉(のど)を湿(しめ)す

목을 축이다

潮(しぉ)が弾(ひ)く

조수가 빠지다

声(こぇ)をかける

말을 걸다

後(ぁと)へ引(ひ)く

뒤로 물러나다

カバーを掛(か)ける

커버를 씌우다

迷惑(めいわく)をかける

폐를 끼치다

耳(みみ)を塞(ふさ)ぐ

귀를 막다

くちびるを噛(か)む

입술을 깨물다

白紙(はくし)に戻(もど)す

백지로 돌리다

スピードが上（あ）がる
속도가 올라가다

一歩（いっぽ）下（さ）がる
한 걸음 물러서다

車（くるま）から降（お）りる
차에서 내리다

カーテンを下（さ）げる
커튼을 내리다

テントを張（は）る
텐트를 치다

手形（てがた）をふる
어음을 발행하다

〜に振（ふ）られる
〜에게 차이다

タイプを打（う）つ
타자를 치다

ボールを打（う）つ
공을 치다

碁（ご）を打（う）つ
바둑을 두다

脈（みゃく）が打（う）つ
맥박이 뛰다

タクシーを拾（ひろ）う
택시를 잡다

肩（かた）をならべる
어깨를 나란히 하다

Chapter **06**

일본 문화 바로 알기

✚ 일본의 지리적 인문적 특징(1)

지도를 살펴보면, 중국은 대륙, 한국은 반도, 일본은 길게 늘어선 열도다. 면적은 약 38만 평방 킬로미터로, 남북한 면적의 1.7배 정도이고, 높은 산과 많은 산맥으로 이루어져 있다. 가장 높은 산맥은 일본알프스 산맥이며, 우리에게도 잘 알려진 후지산(3776m)이 있다.

화산·지진·태풍의 피해가 심각하며, 이것으로 인한 津波つなみ(해일)는 백과사전에도 실릴 정도다. 섬나라라서 대륙이 그리운 건지 현재까지 러시아의 북방영토와 우리나라의 독도, 중국의 센카쿠열도와 끊임없는 영토분쟁을 일으키고 있다. 우리나라의 동해가 일본에서는 서해이지만 서해로 표기하지 않고, 소유의 개념으로 sea of Japan(일본해)으로 표기한다.

✚ 일본의 지리적 인문적 특징(2)

일본에서 지진이 자주 발생하는 원인은 판구조론(plate tectonics)으로 설명할 수 있는데, 우리나라의 동쪽으로는 아시안 플레이트가 있고, 일본의 동쪽으로는 태평양 플레이트가 있다. 일본은 아시안 플레이트와 태평양 플레이트 접점에 자리잡고 있다. 태평양 플레이트가 아시안 플레이트보다 무겁기 때문에 자연히 위로 들어와 마찰을 일으켜 지진이 발생하게 된다. 지진의 강도를 매그니튜드로 나타내는데, 메이지(明治めいじ) 이래로 100년 동안 매그니투드 7 이상의 지진을 20번 이상 경험했다.

일본은 길게 뻗은 열도이므로 기후조건도 한대~열대까지 다양하다. 대도시가 거의 태평양 해안에 집중되어 있으며, 인구는 조밀한 편이다.(세계 7위) 인종은 주종은 몽골리안이며, 홋카이도계통의 아이누족과, 남방계통이 있다.

일본은 문화적으로는 대륙적인 것을 지배문화로 수용하면서 민족문화를 형성해왔다.

✚ 일본사의 기본적 특징

동아시아의 변경에 위치한 섬나라로서 외래문화에 대해서 종속적이고 수용적인 입장을 취해왔으며, 섬나라이므로 바다를 자연적 장벽으로 이용해서 문화수용을 절제·조절할 수 있었고, 외국의 침략으로부터 보호할 수 있었다. 섬나라로서의 단점은 단일성이 강해서 배타적·폐쇄적인 속성이 있고, 일본의 독특성을 지나치게 강조하는 경향이 있으며, 외국 문화를 일본화하는 경향이 짙다.

자연환경은 지진과 태풍의 피해에 대한 불안과 현세 허무적인 관념이 강하다. 불안한 자연환경에 대비해 지진에 강한 목조건물을 짓고, 불안한 미래에 대비해 저축을 하고, 기록, 정리, 보관하는 습관이 베어 있고, 현세 구복적인 종교관(온갖 것에 기원하여 마음의 평안을 찾는다)을 가지고 있다.

가족관념을 보면, 남방계통의 영향으로 삼촌, 사촌과의 근친혼의 풍습이 있고, 家ぃぇ는 혈연의 연결성보다는 집안의 명예나 전통을 중시한다.

정치사적 특징은 철저한 신분질서 사회다. 신분간의 이동은 없으며, 세습되기 때문에 철저한 직업의식을 가지고 목표 지향적이어서 근대화 추구에 빨랐다고도 할 수

있다. 지방분권적인 요소로서, 일본은 높은 산과 강이 많아 지역 구분이 뚜렷해서 지역적 조건에 따른 풍습의 차이가 있었다. 고대국가의 행정제도를 살펴보면, 66개 정도의, 풍습이 서로 다른 지역 구니(国くに)가 존재했고, 17세기 이후에도 江戸えど시대에는 260개의 번(藩)이 존재했으며, 1868년 明治めいじ유신 때까지 획일적인 중앙집권제는 존재하지 않았으며, 1868년 이후 천황을 중심으로 중앙집권제가 나타난다.

✚ 천황제의 성격－일본의 역사상 천황이란 어떠한 존재였던가

일본의 군주를 가리키는 천황이란 칭호는 7세기말에 정식으로 채용되었고, 그 전까지는 大王おおきみ였다. 일본이라는 국호도 이때쯤 채택되었다.

천황에게는 종교적인 권위로서 신성성(神聖性)이 부여되고, 천황은 모든 권위의 원천으로서 세속정치 지배자에게 정당성을 제공한다. 또한, 일본인의 민족의식의 중심이다. 천황은 일본인으로서의 동질성을 위한 구심점 역할을 하고, 외부의 압력에 대한 국민통합의 필요에서 천황이 강조되고 있으며, 오늘날까지 일본의 심정적 구심점으로 작용하고 있다. 이는 또한 일본중심주의 · 일본우월주의의 근원으로 되고 있다.

✚ 비빔밥을 안 비빈다?

우리나라의 비빔밥은 여러 가지 나물에 고추장, 계란프라이를 얹어서 맛깔스럽게 비벼먹는다고 해서 비빔밥이다. 일본에서도 유명하다. 일본식 발음은 ビビンバー인데, 먹는 방법을 보면 약간 다르다. 우리는 양푼에 한꺼번에 비벼서 숟가락으로 푹푹 떠먹는데, 일본은 숟가락을 거의 사용하지 않고 젓가락으로 먹는데다가, 비빈다는 자체를 조금 지저분하다고 여기는 것 같다. 이는 문화의 차이이므로 어떤 것이 좋다 나쁘다고는 할 수 없지만, 일본에서는 비비지 않고 먹는다는 것을 알아두었으면 좋겠다. 또 한 가지, 카레라이스는 한국이나 일본이나 즐겨먹는 음식이다. 물론 카레라이스는 숟가락으로 먹지만, 우리처럼 카레와 밥을 전부 비벼서 먹지 않고, 밥 위에 카레를 뿌려서 그대로 숟가락으로 떠먹는다. 일본에서 비빔밥이나 카레라이스를 먹을 때 주의하자! 혹시 카레를 입에 먼저 묻히고 밥을 먹는 일이 없도록…

✚ 연애하는 방법은 ほうれんそう(시금치)다.

남녀관계처럼 오묘한 것은 없는 것 같다. 사랑을 시작하게 되면 누구나 가슴 두근거리기 마련이고, 좀더 가까워지기 위해 노력하고 가꾼다. 또한 실연을 당해도 인간은 또 다시 사랑하고 사랑받기 위한 노력을 게을리 하지 않는다. 마치 죽을 것을 뻔히 알면서도 불 속으로 뛰어드는 불나방처럼…

사랑을 하면 자기 입장에서는 도대체 어떻게 해야 할지 망설이게 된다. 제3자의 입장에서 보면 잘 보이는데, 자기 입장이 되면 안 보이 게 마련이다. 그래서 일본에서는 ほうれんそう를 외친다. ほう—報告ほうこく(보고), れん—連絡れんらく(연락), そう—相談そうだん(상담)이다. 혼자 결정하지 말고, 친구들한테 SOS를 보내서 꼭 사랑에 성공해 보자. 본인이 이미 다 저질러놓고 보고하지 말고, 우선 "이러이러한 상태이다"라고 보고하고, 연락하고, 서로 상담한 후에 가장 좋은 제안을 받아들여 실행에 옮겨보자. 더 이상의 실패는 없을 것이다. 인간은 혼자가 아니니까.

✚ 발렌타인데이(チョコ)는 일본에서 시작했다.(1)

3세기, 로마황제(Claudius II)는 군 전력유지를 위해 젊은이들의 결혼을 법으로 금지시켰는데, 발렌타인이라는 사람이 몰래 결혼을 시켰고, 황제에게 발각되어 사형을 당했다. 그 날이 2월 14일이다. 이 2월 14일을 70년대 일본에서는 초콜릿(チョコレート) 판매촉진을 위해 伊勢丹いせたん백화점이 森永もりなが제과와 이벤트를 열었다. 그 당시 여성이 남성에게 사랑을 고백하기 쉽지 않았기 때문에, 1년에 단 하루만이라도 여성이 먼저 남성에게 초콜릿을 주면서 고백하자는 것이었다. 초콜릿은 불티나게 팔렸고, 이에 대한 성공으로 또 다시 이벤트를 계획하게 되었다. 마쉬멜로우의 판매가 부족했던 그 당시, 정확히 한 달 후에 '남성들이여, 2월 14일 날 받은 사랑, 3월 14일에 마쉬멜로우로 보답하자' 라는 이벤트로 화이트데이가 탄생했다. 참고로, 화이트데이는 한국과 일본에밖에 없는 풍습이다. 마쉬멜로우가 하얀색이라서 화이트데이로 지은 것일까?

✚ 발렌타인데이(チョコ)는 일본에서 시작했다.(2)

백화점과 제과점의 판촉이벤트로 지금도 계속 이 행사는 이어져 내려오고 있다.

2월에 일본에 있는 백화점에 가보면, 놀라서 입이 다물어지지 않을 정도로 화려하고, 예쁘고, 먹음직스러운 초콜릿이 줄지어 있다. 이 날 여성들은 구분을 해서 초콜릿을 산다. 義理ぎりチョコ는 말 그대로 의리상 주는 것이다. 신세진 분들, 직장 동료들에게 주는 초콜릿이다. 그리고 本命ほんめいチョコ는 정말로 사랑하는 사람에게 주는 초콜릿이다. 義理チョコ는 절대로 1000円(= 10000원 정도)을 넘지 않는다. 1000円이 넘으면 어쩌면 다른 마음이 있을지도 모르겠다. 本命チョコ는 알다시피 가장 사랑하는 사람에게 주는 초콜릿으로서 최선을 다한다. 양보다는 질을 우선으로 하는 일본에서는 초콜릿 3알에 5000円하는 것도 있다. 2월 14일, 이 날은 회사에서 남자들이 서로 경쟁을 한다. 서로들 얼마나 많이 받았나 하고. 우리도 직장 동료들에게 서비스하자. 3월 14일을 손꼽아 기다리면서…

✚ 한류열풍! 욘사마 열풍!

일본에서 극존칭은 様さま다. 이는, 편지를 쓸 때 우리나라에서 쓰는 '～귀하'와 같은 말인데, 부를 때 ～様さま라고 불리는 건 굉장한 것이다. 대개는 ～さん으로 부르기 때문이다. "겨울연가(冬ふゆのソナタ)"로 일본에서 국빈대우를 받고 있는 배용준! 일본열도가 들끓고 있다. 배용준의 '용' 자를 따서 ヨン様さま라고 부른다. 축구선수 베컴様さま 이래 동양에서는 처음 있는 일이라고 한다. 얼마나 인기가 있으면 일본의 현 총리대신인 고이즈미준이치로가 이런 발언을 한 적이 있다. "ヨン様さま를 본받아 ジュン様さま가 되겠다." 참고로 姫ひめ는 공주라는 뜻인데, 여자에게 붙이는 극존칭으로서 최지우에게 ジウ姫ひめ를 붙였다. 그럼 각자 이름을 가장 부르기 편한 쪽으로 택해서 様さま나 姫ひめ를 붙여보자. 왕자와 공주가 된 기분에 잠시 젖을 수 있을 것 같다. 오세민－ミン様さま, 오화정 －ファジョン姫ひめ, 오 연－ヨン様さま, 정명자－ミョンザ姫ひめ, 안소영－ソヨン姫ひめ

✚ 명품족 일본인

세계에서 명품을 가장 좋아하는 민족이라면 두말할 것도 없이 일본인일 것이다. 그에 반해 한국은 모방의 천국인 것 같다. 어떠한 명품도 그대로 따라 만들 수 있고, 어떤 제품은 더 뛰어난 것들도 많다. 이렇게 진짜 명품이 아닌 따라서 만든 것을 '이미테이션, 가짜, 짜가, 모조품(偽物にせもの)'이라고 한다. 한국은 偽物にせもの천국이다. 일본에도 偽物にせもの가 있기는 하지만 별로 선호하지 않는 편이다. 진짜 명품을 손에 쥐어야 하는 것이다. 어느 정도 명품을 좋아하는가 하면, 예를 들어 세계적인 브랜드인 루이뷔통(Louis Vuitton)의 전세계 판매 중 거의 50%는 일본이라고 한다. 渋谷しぶや에 루이뷔통을 열었을 때, 프랑스에서 지사장이 직접 와서 인사를 했을 정도라고 한다. 한국에서도 면세점에 가보면 많은 일본인들을 만날 수 있지만, 특히 에르메스(Hermes) 매장에는 거의 일본인이다. 시계는 어디, 백은 어디, 펜은 어디, 옷은 어디 등 명품을 사랑하는 일본인이다.

➕ 本音ほんね(속마음) · 建前たてまえ(겉마음) 사회 일본

흔히들 일본인을 가리켜서 本音ほんね와 建前たてまえ가 다른 민족이라고들 말한다. 그렇지만, 어느 민족이든 다 같다고 본다. 특히 사회생활하면서 적당히 자기의 本音ほんね를 숨길 줄도 알아야 사회에서 살아남을 수 있다. 예를 들면 이렇다. 굉장히 매운 떡볶이를 먹을 때, 속에서는 불이 타오를 거고, 뭐 이런 음식이 있나 생각할 것이다. 그렇지만 그 本音ほんね를 감추고, 아마 조금 맵지만 기가 막히게 맛있다고 그렇게 建前たてまえ로 말할 것이다. 지역으로 보자면, 京都きょうと(교토)가 제일 폐쇄적인 사회여서, 建前たてまえ가 가장 심하다고 할 수 있다.

✚ 너무 비싼 교통비

일본이 살인적인 물가라고들 하는데, GNP에 비해서 그렇게 비싼 편은 아니다. 다만, 교통비만큼은 비싼 편이다. 지하철 요금표를 보면 입이 딱 벌어질 정도다. 지금 우리나라도 구간요금제를 적용해서 많이 올랐지만, 환승할인도 있고, 일본에 비하면 아무것도 아니다. 일본은 한 정거장 180円(1800원 정도)부터 시작해서 세 정거장만 가도 벌써 230円, 저 끝까지 가는 요금을 보면 말도 못한다. 필자가 살던 곳에서 池袋いけぶくろ까지 30분 남짓 걸렸는데, 편도 요금이 570円(6000원)이었다. 이래서 발달된 것이 定期ていき 즉 '정기권'이다. 학생은 60% 할인, 회사원은 30%까지 할인을 받는다. 그러나, 복잡한 일본의 교통편은 지하철만해도 국철과 사철로 나뉘고, 국철과 사철을 모두 이용하는 사람은 定期ていき를 두 장 구입해야 한다. 단, 정기권은 한 번 사면 한 달 동안 100번을 타든 1000번을 타든 상관없다. 주말에만 파는 정기권도 있으니 일본에 갈 경우 정기권을 잘 활용해보자.

✚ お茶ちゃスキ! (일본인은 차를 무지무지 좋아해요)

일본인은 차 마시는 것을 참 즐기는 민족이다. 다실에서의 차모임부터 시작해서, 흔히 패스트푸드점에 가도 햄버거에 우롱차, 영화를 보러 가도 팝콘에 우롱차, 학교나 거리에 있는 두 줄짜리 자동판매기를 보아도 한 줄은 무조건 녹차, 우롱차이고, 그 밑의 줄은 여러 가지 음료수다. 음료수의 종류도 우리나라보다 훨씬 많지만 녹차와 우롱차를 즐겨 마신다. 우리나라도 최근 신문기사를 보니, 건강음료(녹차)의 판매율이 계속해서 올라가고 있다고 한다. 머지않아 일본처럼 될 것 같다.

그렇지만, 이렇게 차마시는 습관은 원래부터 내려오던 습관일까? 정답은 No다. 茶道ちゃどう(차도), 生いけ花ばな(꽃꽂이), 墨絵すみえ(수묵화), 床とこの間ま(일본식 방의 상좌에 바닥을 한층 높게 만든 곳)… 이것들은 모두 중국의 선승들이 행해왔던 것에 영향받은 것이고, 오늘날 일본적인 원류는 室町むろまち(무로마치)시대에 꽃피웠으며, 그 원조는 중국이다.

✚ 割ゎり勘ゕん 문화(네가 먹은 건 네가 내)

우리나라도 요즘은 주머니 사정이 어려워져서 각자 먹은 것은 각자 내기도 하지만 아직은 일본에 비하면 아무것도 아니다. 일본에서는 돈이 없으면 회식자리에 절대로 가서는 안 된다. 그것은 그들에게 대단한 피해를 끼치는 행동이다. 각자 먹고 나면 계산부터 하고, 같이 먹은 음식에 대해서는 명 수대로 나눠 おつり(잔돈)가 100엔일지라도 나눈다. 우리는 커피 마시고 싶을 때 옆 사람한테 "커피 마실래?"라고 물어보고 마신다고 하면 당연히 옆 사람 것도 뽑고, 거기에 대한 돈을 주지도 않거니와 받으려고 하지도 않는다. 그것이 한국 문화라면, 일본은 당연히 동전부터 꺼내들고 기다린다. 고맙다고 하면서 돈을 준다. 어떻게 보면 정떨어지는 문화라 할지 모르나, 요즘 같은 시대에 더 실용적이고 현명하다고도 할 수 있다. 그렇게 되면 밥을 먹고 나가면서도 신발 끈을 오래도록 매고 있지 않아도 되니까.

✚ 성형수술 No!

요즘은 눈과 코를 살짝 고치는 것은 성형도 아니라는 인식을 가지고 있고, 남자들도 여자들 못지 않게 수술을 많이 하는 시대다. 심지어는 연예인 사진을 들고 가서 "이 사람처럼 해주세요"라고 주문을 하기도 한다. 거리엔 성형외과 투성이고, 방학 때는 수술 스케줄이 밀려서 하고 싶어도 못할 지경이다. 그러나, 일본의 상황은 다르다. 일본에서는 기본적으로 성형을 했다고 하면 손가락질을 당한다. 절대 금기로 인식되어 있다. 그래도 아름다워지고 싶은 욕구는 누구나 갖고 있는 법! 일본에서도 성형수술을 하지 않는 것은 아니다. 단, 우리나라보다는 덜 하고, 그리고 수술을 하는 시기가 있다. 이 시기를 놓치면 연예인이 아닌 이상 그냥 있는 그대로 살아간다. 수술은 고등학교 졸업하고 대학 입학하기 전, 대학 졸업하고 취직하기 전 시기에만 하고 그 외의 시기엔 거의 안 한다.

招まねき猫ねこ(마네끼네코)

일본에는 각 가정이나 상점에서 흔히 볼 수 있는 동물이
있다. 바로 招まねき猫ねこ다.
招まねく(부르다, 초래하다, 초대하다)라는 동사에서 나왔
는데, 복을 불러들이는 고양이로 널리 알려져 있다. 우리
나라에서도 일식집 계산대나 우동가게에서 흔히 볼 수
있다. 자세히 보면, 고양이가 오른팔을 들고 있기도 하
고, 왼팔을 들고 있기도 하고, 심지어는 양쪽 팔을 다 들
고 있기도 한다. 오른팔은 돈을, 왼팔은 복을 불러들이는
의미를 가진다. 요즘엔 양쪽 팔을 들고 있는 고양이도 볼
수 있는데, 조금은 익살스럽게 보일지도 모르겠다.

✚ 일본에 전세는 없어요

유학생들이 일본에 가면 먼저 집부터 구해야 하는데, 집 값이 무지막지하게 비싼 듯 느껴진다. 우리와 같은 전세 가 없어서 다달이 월세로 지불해야 하기 때문이다. 동경 기준으로 원룸은 한 달에 8万円(80만원)은 내야한다. 거기 다가 첫 달엔 엄청나게 지불한다. 먼저, 보증금(敷金しききん 1~2달치), 사례금(礼金れいきん 1~2달치)를 지불해야하기 때문이다. 보증금이라 해도 거의 못 돌려 받는다. 모든 계약은 2년 단위로 이루어지는데, 이는 나갈 때 다음 사 람을 위한 수리비로 생각하면 된다. 사례금은 부동산업 자에게 주는 돈이다. 그렇게 되니 첫 달엔 무지막지하게 나간다. 또한 거기에 전기세, 수도세, 가스세 등등을 포 함하면 한 달에 방값으로만 100만원 정도가 나갈 수 있 다. 부동산 앞에 가면 역에서 몇 분이라고 적혀 있는 것 을 볼 수 있다. 당연히 역세권에서 가까울 수록 같은 조 건이라도 비싸고, 역에서 멀수록 싸다. 일본에서 자전거 를 왜 그렇게 많이 이용하는지 이해할 수 있을 것이다. 조금 더 싼 곳을 가려니 당연히 역에서 멀어야 하고, 그 러면 버스를 한 번 더 타야하는데, 왕복 버스비가 400円 (4천원)이 넘으니 역에 자전거를 세워두고 하루에 보관 료 100円(천원)씩 내는 편이 훨씬 저렴하기 때문이다. 요

즘 한국에서는 전세라는 개념이 많이 없어지고, '전세+
월세' 식으로 전환되고 있지만, 그래도 일본에서 보면 전
세금을 돌려주는 식은 천국으로밖에 생각되지 않을 것이
다. 일본은 이자율이 0%인 관계로 전세라는 것은 생각할
수도 없다.

✚ 一生懸命いっしょうけんめい 〈열심히 공부합시다!〉

'열심히'라는 말에는 一生懸命いっしょうけんめい, 熱心ねっしんに 두 가지가 있다. 이 두 가지는 조금 다르게 쓰인다. 옛날, 일본은 신분질서 사회였다. 또한 士し(사)·農のう(농)·工こう(공)·商しょう(상)으로 되어 있는 신분은 이동되지 않고 세습되었다. 그러니, 자기가 속한 신분에서 최고가 되기 위해 노력해야 살아남을 수 있었다. 그래서 지금도 동경대를 제대하고도 가업을 잇기 위해 구둣가게를 하는지도 모르겠다. 예전엔, 영주네 밥만 짓는 부하가 있었다. 만약에 영주가 밥을 먹다가 돌이 씹히기라도 하면 관습상 그 자리에서 그 부하의 목을 쳐야 했다. 그래서 자기 부하를 아끼는 영주는 畳たたみ(다다미) 속으로 돌을 밀어 넣기도 했다고 한다. 그러니, 그 부하는 평생 밥 짓는 일에 목숨을 걸고 열심히 해야만 했다. 거기에서 一生懸命いっしょうけんめい(열심히)라는 말이 나왔다. 일생동안 목숨을 건다는 의미다. 또, 熱心ねっしんに(열심히)라는 말도 있지만, 특히 공부 같은 경우는 목숨 걸고 열심히 해야 하는 것이기 때문에, 주로 一生懸命いっしょうけんめい라는 말을 많이 쓴다. 우리 모두 일본어를 一生懸命いっしょうけんめい 공부하자!

✚ 교회 결혼식(1)

일본처럼 종교가 많은 나라도 드물 것이다. 몇 년 전, 난리가 났었던 오움진리교도 종교의 하나다. 거의 대부분이 신도인데, 신도란, 동물, 사람 할 것 없이 온갖 것에게 복을 구하고, 마음의 평안을 찾는 사람을 말한다. 그런데, 이렇게 갖은 종교가 많은데도 결혼식만큼은 신사에 가서 전통 혼례식을 올리거나, 교회 결혼식을 한다. 그렇다고 교회에 직접 가서 결혼식을 하는 것은 아니고 호텔에서 많이 하는데, 호텔에는 교회가 완비되어 있다. 어쩌면 조금 성스러워 보여서 그렇게 하는지도 모르겠다. 우리와는 달리, 신부는 면사포로 얼굴을 가리고, 신부측 아버지와 함께 한 걸음 내딛고 한 걸음 쉬고, 또 한 걸음 내딛고 한 걸음 쉬고 하면서 신랑에게로 다가간다. 그러니, 걸어오는 데도 많은 시간이 걸린다. 우리와는 또 다른 성스러움이 느껴지기도 한다.

교회 결혼식(2)

앞에서 주로 호텔에 교회결혼식이 완비되어 있다고 했다. 우리는 청첩장을 인쇄해 아는 사람 모두에게 뿌리고 잘 모르는 사람까지 초대하곤 한다. 일본은 그렇지 않다. 사전에 초대장을 보내어 참석 여부를 확인하고, 참석한다고 한 사람들의 숫자만큼 준비를 한다. 호텔 피로연장은 원형으로 8명~10명 정도씩 앉도록 되어 있는데, 자리에 자기 이름이 적혀 있다. 또한, 직장 동료들은 주로 앞쪽으로, 친척을 포함한 가족 테이블은 제일 뒤쪽으로 되어 있다. 초대장도 제한된 사람만 보내고, 부조도 우리랑은 단위가 틀리다. 친구들은 주로 2~3万円 정도 부조금을 낸다. 더 가까운 사람들은 그 이상이다. 우리가 보면 많아 보이나, 실제로 그렇지 않다. 호텔 식사가 한 사람 당 8千円~1万円 정도이고, 피로연석에 앉으면 자기자리 밑에 선물이 놓여 있다. 주로 케이크, 와인, 와인잔 등인데, 이 또한 6千円~1万円 정도 하기 때문에 부조금을 많이 내도 많이 낸 것이 아니다. 결혼식에 참석 못했던 친구들과 결혼식 끝나고 술집이나 음식점에서 놀기도 하는데, 이때는 각자 회비 5千円 정도를 낸다. 이렇고 보니, 결혼식에 가고 싶어도 불러주지 않으면 갈 수가 없다.

✚ 일본의 목욕탕

우리는 집에서 샤워·목욕 다 해도 더 개운하게 하기 위해 목욕탕에 간다. 일본에도 銭湯せんとう라는 목욕탕이 있다. 銭湯せんとう는 주로 오후에 연다. 가격도 300円えん정도로 비싸지는 않은데 한 가지 기이한 것은, 분명히 여탕인데 남자가 돈을 받고 있고, 옷을 갈아입고 있는데도 안에서 남자가 청소를 하고 다닌다. 남탕도 마찬가지다. 또한, 남탕과 여탕의 경계선도 거의 없기 때문에 몸을 남탕 쪽으로 빼면 충분히 남탕을 볼 수 있다. 우리한테는 어이없는 일이지만 일본에서는 아무렇지도 않은 일이다. 그래서 손님이 나이 지긋한 분들이 많다. 부끄러우면 절대로 가지 말아야 하고, 호기심이 생기면 가서 살짝 엿봐도 될 것이다.

✚ 일본적 경영(1)

일본적 경영이란, 독특한 인사노무 관행체제를 내장하는 일본의 전통적인 기업경영의 양식을 말한다. 이 경영방식은 일본의 산업근대화의 여명기인 메이지 말기 이후, 일본 각지에 근대적인 대기업이나 회사가 잇달아 만들어진 이래로 의도적, 계획적으로 이들 새로운 조직체 안에 채용되었다. 이 경영방식 체제가 도입된 것은 어떤 목표가 있기 때문이었다. 오늘날 일본적 경영의 장점이 플러스 효과로서 높이 평가되고 있는 것은 처음에 그런 목표가 훌륭히 실현되었기 때문이다. 그러므로 경제대국을 일궈낸 일본적 경영 신화는 80년대에 구미뿐 아니라 중남미, 동남아에서도, 한국이나 대만에서도 일본적 경영의 붐을 일으켰다. 지금은 일본적 경영은 없다, 신화는 끝났다. 일본적 경영은 일본에는 적합하지만 우리에겐 맞지 않다. 이런 말들이 나오고 있지만 많은 나라들이 보고 배워왔다. 그러나, 일본적 관행체제는 플러스 효과(장점)도 많이 낳았지만, 시대가 바뀜에 따라 마이너스 효과(단점)도 많이 늘었다.

✚ 일본적 경영(2)

〈장점〉

- 종신고용의 관행
- 생활보장의 일괄채용
- 평균적인 회사인을 만드는 정형훈련
- 일반직을 육성하는 보직순환
- 연공에 의한 대우와 지위서열
- 경쟁억제와 인화중시
- 실무경영과 집단책임제
- 사생활에까지 미치는 직원복지의 온정적 배려

〈단점〉

- 근로자의 의존심 조장과 자주창조정신의 억제
- 고용에서 차별대우와 자유로운 횡단적인 노동시장형
  성 방해
- 승진체계의 폐해와 중년층, 고령층의 인사적체
- 직원의 일하는 즐거움과 보람 상실
- 자동화 붐과 권위주의 조직의 변질
- 민주적이고 참여적인 요소의 소멸
- 노동중시에서 레저중심으로

✚ 바쁠 때는 오니기리 이상 없지요!

おにぎり는 握にぎる(잡다, 쥐다)의 명사형으로 '손으로 쥔 밥' 즉 '주먹밥'을 뜻한다. 편의점에 가면 삼각주먹밥을 볼 수 있는데, 일본에서 온 것이다. 일본에는 더 다양한 おにぎり가 있는데, 속에 김치, 참치, 불고기, 연어알, 성게알, 다시마, 샐러드 등이 들어가 있다. 우리 입맛엔 마요네즈 참치와 다시마 정도가 맞을 것이다. 깨가 들어간 것도 있고 팥밥으로 만든 것도 있다. 가격도 100円에서 160円까지 다양하다. 아침에, 바쁜 회사원들이 편의점에 들러 おにぎり 두 개에 お茶ちゃ를 들고 뛰는 모습을 자주 볼 수 있다. 바쁠 때에는 おにぎり 이상 없는 것이다.

✚ 용장 · 지장 · 덕장 · 운장

일본 천하를 재패한 장군들의 성격을 빗대어 쓰는 말이 있다. "울지 않는 두견새는 죽인다" 이는 織田信長ぉだのぶなが(용장)를 뜻하는 말이고, "울지 않는 두견새는 울게 만든다" 이는 豊臣秀吉とよとみひでよし(지장)를 뜻하는 말이며, "울지 않는 두견새는 울 때까지 기다린다" 이는 徳川家康とくかわいえやす(덕장)를 가리키는 말이다. 각자 어떤 성격에 가까운지 생각해보아도 좋을 듯싶다. 요즘엔 '용장' '지장' '덕장'에 한 가지 더 첨가되어 운이 따라줘야 한다고 해서 '운장'이라는 말도 나온다. 성격을 대변하듯, 이들이 죽은 나이도 성격대로였다. 織田信長ぉだのぶなが는 49세, 豊臣秀吉とよとみひでよし는 62세, 徳川家康とくかわいえやす는 75세에 죽었다.

➕ 일본의 행정구역

일본은 행정구역을 都道府県とどうふけん으로 나눈다. 都と―東京都とうきょうと, 道どう―北海道ほっかいどう, 府ふ―大阪府おおさかふ, 京都府きょうとふ, 県けん―43県けん으로 다 합치면 47개다. 県けん은 43개나 되는데, 다 외울 수는 없지만 적어도 행정구역이 都道府県とどうふけん으로 이루어져 있다는 것은 알아두어야 할 것이다. 하지만 교류원 시험을 준비하는 사람은 43県けん도 다 외워야 한다. 지도 위에 43県けん을 찾아서 쓰는 것이 문제로 나오기 때문이다. 또한 지방은 대개 8개로 나뉘는데, 北海道ほっかいどう지방, 東北とうほく지방, 関東かんとう지방, 中部ちゅうぶ지방, 近畿きんき지방, 中国ちゅうごく지방, 四国しこく지방, 九州きゅうしゅう지방으로 나뉜다.

✚ 일본의 주요도시(1)

1) 札幌さっぽろ

일본 총 면적의 22%를 차지하는 北海道ほっかいどう의 중심 지역이다. 1869년에 건설을 시작했으며, 100년 사이에 인구 100만에 이르렀고, 2005년 현재 250만 이상(5위)이다. 札幌さっぽろ는 개척과 방위의 거점으로서 벌판 가운데 미국을 모델로 계획된 도시다. 맥주와 낙농제품(치즈, 버터, 우유)으로 유명하며, 게, 라면, 우유 또한 유명하다. 1972년 동계 올림픽이 개최된 札幌さっぽろ는 북유럽이나 뉴잉글랜드와 비슷한 풍토를 가지고 있다.

2) 横浜よこはま

神奈川県かながわけん의 중심지이자 해운의 중심지다. 中華ちゅうか(중국음식)로 유명하고, 항구도시로 외국인이 많다. 明治めいじ 이래 무역에 있어서 가장 중요한 역할을 담당하고 있으며, 인구는 350만 이상(2위)이다.

✚ 일본의 주요도시(2)

3) 東京とうきょう

동쪽의 수도인 東京とうきょう는 일본의 수도로서, 정치·경제·문화·교육의 중심지이며, 인구는 1천 2백만 이상이다. 옛 지명은 江戸えど였으며, 1869년 明治維新めいじいしん(메이지유신) 이후 京都きょうと에 살고 있던 天皇てんのう(천황)이 옮겨와 東京とうきょう(동쪽의 京きょう)로 불린다. 명소로는 皇居こうきょ(황거), 국회의사당, 明治神宮めいじじんぐう(메이지신궁), 上野うえの공원, 浅草あさくさ, 銀座ぎんざ, お台場だいば 등이 있다.

4) 川崎かわさき

神奈川県かながわけん 북동부에 자리 잡은 도시(東京とうきょう와 横浜よこはま 사이)다. 주로 공업과 주택지대를 이루고 있으며, 철강산업으로 유명하다. 인구는 130만 이상으로 9위다.

5) 名古屋なごや

名古屋なごや는 교통의 요지기 때문에 유명한 인물을 배출한 도시로도 유명하다. 豊臣秀吉とよとみひでよし, 徳川家康とくかわいえやす가 名古屋なごや 출신이다. 인구는 220만 이상으로

6위며, 수공업(도자기)이 유명하며, 상업의 중심인 名古
屋なごや는 화려한 결혼식으로도 유명하다. 모든 음식에 味
噌みそ(된장)를 넣어 즐기며, ブス(못생긴 여자)가 많은 도
시로도 유명하다.

6) 大阪おおさか

관서지방의 중심지로서 항구도시, 경제도시임을 자랑하
고 있다. 공업과 상업의 중심지로서 東京とうきょう에 버금가
는 위치이며, 인구는 250만 이상으로 3위다. 文楽ぶんらく
(인형극), 宝塚たからづか(서양식 오페라 극장), 四天王寺してん
のうじ(가장 오래된 절), 大阪城おおさかじょう(오사카 성)가 유명
하다.

일본 문화 바로 알기

✚ 일본의 주요도시(4)

7) 京都ょょうと

인구 150만(7위)의 도시이며, 고대 이래의 수도였다.(794-1868) 게이샤들이 많으며, 폐쇄적인 도시다. 1500개 이상의 사원과 수백 개의 신사, 전통적 예술품의 宝庫(고급직물, 교토인형, 부채)라고 할 수 있다. 京都ょょうと는 일본의 문화적 수도로 여겨진다. 전통적 축제행사가 많이 열리고 일본을 대표하는 전통산업이 많이 이루어지고 있고, 교토를 나타내는 색은 갈색이다. 패스트푸드 체인점인 맥도날드(マクドナルド)도 교토에서는 빨간색과 노란색이 아닌 온통 갈색으로 되어 있다.

8) 奈良なら

京都ょょうと 이전의 일본 최초의 수도였다.(710-794) 唐의 長安을 모델로 이루어진 도시이며, 여기저기 사슴들이 뛰어 다니는 모습을 볼 수 있다. 우리나라의 경주와 같은 곳이며, 東大寺とうだいじ등 일본의 종교 및 관광 중심지의 하나라고 할 수 있다.

✚ 일본의 주요도시(5)

9) 神戸こうべ

兵庫県ひょうごけん의 중심지로서, 인구 150만(6위) 이상이
며, 수출과 조선업의 중심지이자 아름다운 항구도시다.
1995년 1월, 대지진으로 아름다운 야경이 한꺼번에 없
어졌다고는 하지만, 여전히 야경이 아름다운 도시로 꼽
힌다.

10) 広島ひろしま

広島県ひろしまけん의 중심지로서 인구 100만(10위)이고, 세
계최초의 원폭(1945년 8월 6일)이 투하된 도시로 사망자
가 8만에 이르렀다. 이를 기리기 위한 평화기념공원이
세워져 있다. 단풍과 과자 만주가 유명하며, 야쿠자들의
사투리로도 유명하다.

✚ 일본의 주요도시(6)

11) 長崎 ながさき

원폭피해(1945. 8. 9)를 입은 도시다. 17세기 쇄국 이래 出島 でじま 라는 인공섬을 만들어서 중국인, 네덜란드인과 교역을 해왔다. 네덜란드로부터 전해진 학문을 蘭学 らんがく 라고 하고, 일찍부터 서양 학문을 들여왔기 때문에 근대화 과정이 빨랐다고도 한다. 또한 일본 기독교의 중심지이기도 하며, 카스테라와 짬뽕이 유명하다.

12) 福岡 ふくおか

福岡県 ふくおかけん 의 중심지에 있으며 인구 120만 이상이며, 근대산업과 전통공예의 중심지로서 옛 지명은 博多 はかた (하카타)라고 한다. 福岡県 ふくおかけん 의 남쪽의 大分 おおいた (오이타)県 けん 은 온천으로도 유명하다. (예 → 別府 べっぷ (벳푸)) 福岡 ふくおか 는 제주도와 비슷한 위도에 위치하며, 라면과 줄지어 늘어선 포장마차들로도 유명하다. 또한, 福岡 ふくおか 출신의 연예인(松田聖子 まつだせいこ, 浜崎 はまさき あゆみ...)들이 많다.

✚ 일본의 주요도시(7)

13) 北九州きたきゅうしゅう

九州きゅうしゅう의 공업중심지로서 인구 100만(11위)이다. 北九州きたきゅうしゅう에서 下関しものせき까지 인간의 힘으로 연결한 해저터널은 本州ほんしゅう와 연결되어 있다.

14) 沖縄おきなわ

70여 개의 섬들로 구성된 일본 최남단 현이다. 옛 지명은 琉球りゅうきゅう로 태평양전쟁의 격전지로서 패전 후 미군이 차지해왔다. 1972년에 일본에 반환했으나, 최대 미군기지는 존속하고 있다. 파인애플과 沖縄おきなわ음악이 유명하며, 아무로나미에, 스피드, 다펌프 등의 연예인들이 沖縄おきなわ출신이다.

➕ 약손가락

한국에서는 손가락을 표현할 때 엄지, 검지, 중지, 약지, 소지(새끼손가락)라는 표현을 쓰는데 일본어에서도 유사한 의미의 이름을 가지고 있다. 親指おやゆび(親자를 사용하여 대장 뻘이 되는 손가락이라는 의미－엄지), 人指ひとさし指ゆび(무엇인가 가리킬 때 사용하는 손가락이라는 의미－검지), 中指なかゆび(中자를 사용하여 가운데 있는 손가락이라는 의미－중지), 薬指くすりゆび(약을 저을 때 사용하는 손가락이라는 의미－약지), 小指こゆび(小자를 사용하여 새끼손가락이라는 의미－소지)로 부른다. 이중 약손가락에 대해서는 한국, 미국, 일본이 같은 의미를 가지고 있다.

한국에서는 보통 결혼을 약속하는 사이의 약혼 반지를 약손가락에 많이 한다. '약손가락' 의 뜻을 살펴보면 약을 물에 풀 때 이용되기 때문이라 한다. 약손가락은 영어로 ring finger(반지를 끼우기 때문에)라고도 하지만, medicinal finger(약손가락)라고도 부른다. 불가사이하게도 일본어와 똑같은 이름인 것이다. 약을 섞을 때 이 손가락을 사용하면 효과가 좋다고 생각했던 모양이다.

✚ 一期一会いちごいちえ 일생에 단 한 번뿐인 마주침

茶道ちゃどうに서 말하는 一期一会いちごいちえ 정신은 시간을 축소하면 한순간(一瞬いっしゅん)이 되어 버린다. 단 한번밖에 없는 시간, 두 번 다시 오지 않는 시간! 茶道ちゃどう란 그 한순간의 빛 속에서 얼굴을 마주치는 만남이자, 그 마음인 것이다. 보통 차 모임일지라도 다실에 들어가서 나올 때까지 생애(一期いちご)에 단 한번뿐인 만남(一会いちえ)인 것처럼 주인을 경외해야 한다. 나아가 대상이 물건이 아니라 사람이라면, 그것이 또 그냥 사람이 아니라 사랑하는 사람이라면 어떻게 될 것인가. 숨소리 하나 머리카락 하나하나 놓치지 않을 것이다. 떨리는 손끝에서도 그 마음을 볼 수 있는 것이다. 이는 단두대 앞에 죽음을 앞둔 사형수 또한 마찬가지 마음일 것이다. 다시는 보지 못할 세상! 사형수한테는 나뭇잎조차 소중할 것이다. 사람을 대할 때 一期一会いちごいちえ 정신을 잊지 않고 대하면, 성공적인 삶을 살 수 있으리라는 생각이 든다.

✚ 젓가락과 젓가락은 닿으면 안 돼!

"이것 좀 먹어봐"라며 젓가락으로 주면 젓가락으로 받아먹는 광경을 볼 수 있다. 그러나 이는 일본에서는 금기시된다. 예의 없는 행동이다. 상대방과 젓가락으로 음식을 주고받고 해서는 안 된다. 이는 사람이 죽고 화장을 할 때, 뼈를 젓가락과 젓가락으로 전해주고 하는 의식이 있다. 이때만 사용하고 보통 밥을 먹을 때 하면 예의 없는 사람으로 오인받는다. 애인에게 먹여주고 싶어도 젓가락으로 하지는 말 것! 애인에게 먹여주고 싶으면 곧바로 입으로…

✚ 병문안 선물로 화분은 안 돼요!

병원에 문병 갈 때, 또는 집에 문병 갈 때, 꽃을 많이 사
들고 간다. 꽃 선물은 괜찮은데, 귀엽고 자그마한 화분
같은 건 안 된다. 특히 뼈에 금이 갔다든지, 뼈가 부러진
사람한테는 더하다. 화분은 밑에 뿌리가 있지 않은가. 화
분을 선물하면 그 뿌리를 내리라는 뜻으로 영영 낫지 말
라는 뜻이 된다. 필자도 선물을 하기 위해 꽃을 고르다가
꽃은 금방 지니까 예쁜 화분으로 보낸 적이 있었다. 한참
후에 받은 사람이 다음부터는 아무리 예뻐도 화분은 안
된다고 하는 말을 들었다. 쥐구멍이라도 있으면 들어가
고 싶었지만, 한번 경험했으니 다시는 안 하면 된다. 문
병을 갈 때 절대로 화분은 가지고 가지 말자. 아무리 예
뻐도…

일본 문화 바로 알기

✚ 첨단을 걷자! 젊은이들이 쓰는 단어

미팅	合ごぅコン	치사하다, 짜다	けちだ
강추	お勧すすめ	한턱내다, 쏘다	おごる
퀸카	アイドル	잘 나간다	いけてる
잘 나가는 얼굴	イケ面めん	징그럽다	きしょい
못생긴 여자	ブス	알바비	バイト代だい
색골, 밝히는 사람	すけべえ	맛있다	うまい
잘 되다	うまく行いく	정말 맛있다	超ちょぅうまい
빡세다	厳きびしい. きつい	짜증난다	むかつく
제발 좀, 그만, 부탁	頼たのむ！	매우 짜증난다	(超ちょぅMM) 超ちょぅむかつく
(학점) 펑크나다	落ぉとす. 落ぉとされる	백수, 백조, 건달	プータロー

✚ 誕生石(たんじょうせき) : 탄생석　　宝石(ほうせき) : 보석

ガーネット	가네트	アラバスター	앨러배스터
アメジスト	자수정	アンバー	琥珀こはく 호박
アクアマリン	아쿠아마린	キャッツアイ	猫目石ねこめいし 캣츠아이
ダイヤモンド	다이아몬드	クリスタル	水晶すいしょう 크리스탈
エメラルド	에메랄드	ゴールド	金きん 금
パール	真珠しんじゅ 진주	シルバー	銀ぎん 은
ルビー	紅玉こうぎょく 루비	スピネル	스피넬
ペリドット	カンラン石せき 페리도트	ベリル	緑柱石りょくちゅうせき 녹주석
サファイア	사파이어	ムーンストーン	월강석
オパール	蛋白石たんぱくせき 오팔	ローズクォーツ	홍수정
トパーズ	黄玉おうぎょく 토파즈	ロードナイト	バラ輝石きせき 장미휘석
トルコ石いし	터키석	和玉わだま	일본산 양식진주

✚ 다이어트에 좋은 토마토 & 샐러리 쥬스 만들기

- **材料**さいりょう(재료)

  トマト2個に, セロリ 1/2本ぽん, レモン汁しる 1/2個に分ぶん

  (토마토 2개, 샐러리 1/2개, 레몬즙 1/2개 분)

- **作**つくり**方**かた

  (1) トマトとセロリは2~3cmの大おおきさに切きる。

  　　토마토와 샐러리는 2~3cm 크기로 자른다.

  (2) レモン汁しるを加くわえ, ミキサーにかける。

  　　레몬즙을 넣어 믹서에 돌린다.